La mort d'Yves

Marie Dell'Aniello
Gilles Deslauriers

La mort d'Yves

Données de catalogage avant publication (Canada)

Dell'Aniello, Marie

La mort d'Yves : quand une famille doit apprendre à dire adieu

ISBN 2-89111-896-0

1. Deuil – Aspect psychologique. 2. Pères – Mort – Aspect psychologique.
3. Personnes endeuillées – Québec (Province) – Biographies.
4. Dell'Aniello, Marie. I. Deslauriers, Gilles. II. Titre.

BF789.D4D47 2000 155.9'37 C00-940541-0

Maquette de la couverture
FRANCE LAFOND
Infographie et mise en pages
SYLVAIN BOUCHER

Libre Expression remercie le gouvernement canadien (Programme d'aide au développement de l'industrie de l'édition), le Conseil des Arts du Canada et la Société de développement des entreprises culturelles du soutien accordé à ses activités d'édition dans le cadre de leurs programmes de subventions globales aux éditeurs.

Éditions Libre Expression
2016, rue Saint-Hubert
Montréal (Québec) H2L 3Z5

Dépôt légal :
1er trimestre 2000

ISBN 2-89111-896-0

À tous mes anges gardiens.

Sans doute aurez-vous le sentiment d'occuper trop peu d'espace dans ces pages. Cela tient du fait que, tel un coureur qui parle de son corps, de sa concentration ou de son dépassement, je décris ma course de l'intérieur. Ce que vous tous avez fait pour permettre ma présence à la ligne de départ n'est pas, ou très peu, nommé ici. Ne jugez pas ma reconnaissance à ce fait, voyez-y plutôt l'effet d'une écriture relatant un univers que chacun partage avec soi.

À tous, ma reconnaissance vous est acquise, depuis toujours et pour toujours.

Marie

Avec ce livre, je souhaite m'adresser à tous ceux et celles qui pleurent une personne aimée, qui vivent la maladie, qui connaissent la perte d'un emploi. À tous ceux et celles qui ont perdu... À tous ceux et celles qui perdent parfois espoir, qui souffrent, qui se battent.

À Louise ; à Janique, ma fille, et à l'enfant qu'elle porte et que j'aime déjà ; à Karine, ma fille, à José, son homme, et à Miguel, leur fils, mon petit-fils : à vous tous, un clin d'œil d'amour et d'espérance en la vie.

Gilles

1

Prélude

Je suis amoureuse, j'ai vingt-quatre ans. Je suis sur un voilier et c'est le tour du monde que je ferais avec lui. Il me transporte.

Nos complicités se multiplient. Je partage son lit, il partage le mien. Il a trente-sept ans et ne possède rien. Il a bourlingué toute sa vie. Ce qu'il gagne, il s'en sert pour rêver. Il aime la vie. Il est fou, il est libre.

Nous faisons des enfants ensemble : quatre filles.

Mon corps a été celui d'une amante passionnée et d'une femme; il compose maintenant avec la mère qui l'habite. Je ne trouve pas cela simple.

Yves a le désir de transmettre le goût de la vie à ses filles. Pour l'instant, cette vie, il la veut sécurisante et agréable. Il y travaille, d'arrache-pied.

Nous partageons amour et quotidien. L'amour est au centre de nos préoccupations communes, mais il demeure aussi un espace pour soi. Cet amour est toujours présent, malgré le fait qu'Yves investisse beaucoup dans sa vie professionnelle et que je sois, moi, à la recherche d'un équilibre entre la mère et la femme, entre le travail et le plaisir. Situation plutôt classique lorsque la vie déboule : métro, boulot, marmots. Quant à nos quatre filles, voici comment je les vois.

Émilie, la magnifique, représente la copie conforme de son père. Exigeante, intransigeante et passionnée.

Virginie est un soleil. Elle donne le goût d'avoir d'autres ventres rebondis et glisse sur la vie avec bonheur.

Notre troisième fille, Marie-Geneviève, qui n'est plus avec nous, avait un petit corps si doux, si vulnérable.

Quant à Rosalie, elle est une sage. Elle sera mon dernier bébé, je le sais.

Notre temps se partage entre le travail, la famille, les incessants gestes du quotidien et les gens que nous aimons.

Puis, au cours d'un repas dans un centre commercial anonyme, le ras-le-bol sonne l'alarme : assez du métro, du boulot et du dodo ! Ce que nous sommes en train de bouffer semble insipide et les jambes nous fourmillent par trop de sédentarité. Nos rêves refont surface et rien n'est plus réel.

Nous nous regardons et nous rigolons de nous voir dans ce casse-croûte avec nos trois enfants et de sentir monter en nous le goût de porter notre baluchon ailleurs : voir du pays, nous en mettre plein la vue, nous fendre la gueule.

Coupez. Stop. Fini la lourdeur du quotidien répétitif et organisé. Rien ne nous oblige à nous y soumettre à ce point. Nous voulons modifier le rythme et rire davantage.

Nous parlons les deux à la fois. Les idées jaillissent et nous échafaudons des plans. Nous rebâtissons l'univers. Dans notre euphorie, nous cherchons de quelle façon nous nous évaderons et par quelles images nous nous laisserons conquérir. Nous tricotons des aventures, nous construisons notre futur comme s'il s'agissait d'un jeu de Lego. Nos yeux brillent.

Durant plusieurs semaines, nous faisons le tour du monde sur tous les globes terrestres qui traînent.

Après avoir considéré plusieurs possibilités alléchantes, nous optons pour une année en voilier. Nous descendrons le long de la côte Est américaine jusqu'en Floride, puis irons aux Bahamas passer l'hiver dans des eaux turquoises, et remonterons chez nous un an plus tard.

Nous nous laisserons porter par la présence des choses, griser par d'autres images que celles du travail et des gestes obsédants de régularité. Au retour, nous verrons où nous mèneront nos rêves. J'aime m'abandonner à un futur qui promet des découvertes.

Pendant près de trois ans, nous préparons cette aventure. Nous l'avons parfois remise en question, nous avons fait le décompte de nos différends, mais, pour le plaisir et l'importance de nous accorder ce temps, nous avons maintenu le projet de nous offrir ce bouquet d'émotions que sera cette année en voilier. Émilie a dix ans, Virginie en a six et Rosalie, trois ans.

Nous ne sommes plus maintenant qu'à quelques semaines du départ. Presque tous nos gestes convergent vers cet objectif. Nous baignons dans l'euphorie, mais notre fatigue est grande, aussi. Quitter en paix demande à chacun de définir ce qu'il laisse derrière lui et ce qu'il attend de cette année à venir si particulière.

Yves a choisi de s'éloigner de sa carrière pour vivre avec sa famille. Il appréhende l'incontournable routine du quotidien et s'arrime à l'amour que nous partageons pour apaiser ses craintes. Les filles se sont approprié ce projet. Confiantes, elles sont portées par le rêve. Le bateau deviendra leur maison, leur père sera leur professeur et les mers turquoises se transformeront en terrains de jeux. Elles ont confié leurs chats à leur tante et préparé leurs bagages. Elles sont prêtes pour l'aventure. Quant à moi, j'ai hâte de ne plus avoir à accomplir seule les gestes répétitifs que requiert la maisonnée. J'attends de ces prochains mois en mer qu'ils m'accordent les moments dont j'ai tant besoin pour profiter plus encore de la vie et retrouver l'équilibre entre la mère et la femme en moi.

Nous avons tous nos craintes, nos attaches et nos exubérances à affronter afin de nous rendre disponibles à une année d'images nouvelles. Le passage entre hier et demain s'avère intense. Nous sommes habités par de longs moments de vie à bord du voilier et par ce que nous devons faire pour ne pas négliger ce qui restera derrière. Nous laisserons un univers connu pour en découvrir un autre. Il y a dans la réalité une date de tombée, un moment précis où nous quitterons le quai. Avant d'y arriver, nous devons orchestrer le déroulement de cinq virements de bord. Tout cela exige beaucoup de temps.

En marge de ce mouvement, une tension monte peu à peu. De petits gestes, qui s'enchaînent habituellement bien parce qu'ils sont bien sentis, bien centrés, se mettent à déraper.

Aussi, des ennuis mécaniques avec l'équipement nous tiraillent tout l'été alors que le départ est imminent. Nous ne faisons pas autant de voile que nous l'aurions souhaité. Et nous constatons, Yves et moi, que plus le départ approche, plus les obstacles se multiplient. Bien que notre désir de partir soit toujours aussi fort et que presque tout notre temps y soit consacré, quelque chose nous échappe. Rien d'alarmant, rien d'insurmontable, mais la sensation d'être «à côté», une sensation que nous n'avons jamais éprouvée avant lorsque nous réalisions un désir bien ressenti.

Sur le voilier, à un moment, Yves se retrouve en pleurs sur mon épaule, découragé par un sentiment de désynchronisation qui enveloppe tout, comme une brume.

La précision habituelle entre sa pensée et son action, entre ses gestes et ce qu'il juge adéquat pour atteindre ses fins devient plus lâche, plus floue. Il en vient à douter non pas de ses perceptions, mais de sa route.

Plus l'embouchure se rapproche, plus les prises sur la réalité s'effritent, à un point tel qu'une nouvelle fois la remise en question de notre projet nous effleure l'esprit. Nous n'arrivons pas à faire une lecture claire de tous ces petits événements en enfilade qui nous renvoient des signaux d'inconfort, de tension.

Une quinzaine de jours avant le départ, nous sommes tous les deux dans notre chambre. Assise au pied du lit, je regarde Yves. Je le trouve beau. J'aime sa tête. Ses yeux sont vifs et je les sais amoureux de moi. Nous bavardons. Il s'habille. Puis soudainement, sans raison apparente, il me dit qu'il va mourir ici, dans cette maison. Je comprends alors qu'il ne veut pas la quitter avant de nombreuses années encore et j'en suis surprise, car il a voulu la vendre maintes fois. Si l'un d'entre nous n'a jamais lié son avenir à la possession de biens matériels, c'est bien lui. Je suis embarrassée par sa réflexion, tout comme lui d'ailleurs. Il ne sait trop pourquoi elle lui est venue.

Peu de temps avant le départ, nous nous retrouvons seuls sur le voilier, étant venus régler, encore, un ennui mécanique. Nous faisons l'amour. Moment magique. Il pénètre dans tout mon univers et navigue en moi sur une mer que je retrouve depuis peu, celle de l'amante. J'ai la sensation très nette de ne plus faire l'amour avec un corps de mère, mais avec celui d'une femme. La nuance importe. Plus tard, c'est moi qui suis allée naviguer en lui. Cette union a été d'une intensité et d'un plaisir peu communs. Les deux fois où nous avons fait l'amour, notre étreinte était passionnée et nous nous sommes totalement abandonnés l'un à l'autre.

Nous voilà à trois jours du départ. Un souper d'au revoir est organisé chez ma sœur. La soirée est fort agréable. Il est tard lorsqu'elle prend fin, et les filles sont gorgées de bien-être et de sommeil. Tout le monde prend place dans la voiture et nous quittons nos hôtes le cœur heureux.

Ce soir, nous dégustons notre rêve enfin devenu réalité. La route des Bahamas se dessine tout près devant nous. Il n'y a qu'à suivre l'autoroute Jean-Lesage pour rentrer à la maison, puis encore trois nuits et ce sera le grand départ.

Deux phares blancs dans la nuit

Je suis au volant, les Bahamas sont droit devant et les enfants dorment à l'arrière. J'entends leur respiration et me remplis du plaisir qu'éprouvent les parents à regarder leur progéniture dormir. La circulation, dense pour un vendredi soir, me rappelle que c'est le début du long congé de la fête du Travail.

Je suis bien, encore excitée par l'effervescence de la soirée, en paix.

Je passe la main sur la cuisse d'Yves. C'est chaud et rassurant. Je constate qu'il dort.

Je roule.

Je le regarde à la dérobée, je lui souris. Il s'est abandonné dans le sommeil. Dans cet habitacle, tous mes amours sont réunis : l'homme de ma vie, celui qui me sourit tous les matins depuis quatorze ans, et nos trois filles.

C'est un beau moment de vie, et je prends le temps de le savourer. La route s'étire devant moi, familière. Je suis en pleine possession de mes moyens, ma vie m'appartient, je tiens le volant, la barre.

Deux phares blancs.

Deux phares blancs ! Non.

Deux phares blancs ? Impossible.

Toutes les lumières sont rouges, sauf ces deux phares blancs en face de moi.

Non, ce n'est pas vrai…

Je hurle : « Yves… »

Je me dis : « Agis, bouge, vite, Marie ! »

Je hurle : « Il y a une voiture en sens inver… »

Je n'achèverai jamais cette phrase.

J'ai bien tenté de changer de voie, mais pas assez rapidement pour éviter ces deux phares blancs. Le carnage a eu lieu. Il ne m'en reste que le bruit, aucune image.

De l'ambulance et de la salle des urgences, je ne garde que le son et les sensations.

Je suis sur une civière à l'hôpital, de plus en plus envahie par un malaise. Le désarroi et l'angoisse m'anéantissent. Je revois des séquences de ce qui vient de se produire, tel un casse-tête dont les pièces seraient éparpillées sur le sol. Je me revois, entre autres, sur les lieux de la collision, parler au téléphone avec ma sœur, lui raconter l'accident d'une voix étouffée.

À l'hôpital, on me donne des nouvelles de mes filles, j'entends mes proches nous réconforter, mais je ne sais rien d'Yves. Mon désespoir va grandissant. J'ai un mal de chien à respirer. La douleur au sternum m'oppresse. Je me sens basculer vers un mal-être. Je dois essayer de garder une certaine maîtrise de moi, car mon corps serait incapable de me supporter si je perdais la tête.

J'ai mal à mon corps, je le sens désarticulé, meurtri, et mon âme ne se porte guère mieux. Je ne saurais dire combien de temps s'est écoulé depuis que j'ai frappé l'insondable, mais suffisamment en tout cas pour ressentir les émotions qui naissent quand le chaos s'installe. Je sais – on me l'a dit – que mon corps s'en remettra, mais pour l'instant les sensations qu'il m'envoie sont affolantes. Respirer est si douloureux que cela me demande toute mon attention.

On m'a informée que Virginie a été transférée dans un autre hôpital, mais j'attends toujours des nouvelles d'Yves. Voilà, le messager arrive.

J'ai le souvenir d'avoir regardé le médecin dans les yeux, mais aucune image ne s'est imprimée. Je me sais couchée sur le dos, la tête légèrement inclinée vers la droite. Il est debout et fait en sorte que nos regards se croisent. Au son de sa voix, j'apprends que c'est une femme. Elle m'annonce la mort. Celle d'Yves. C'est la mienne que je ressens. Cette bombe me propulse cinq ans en arrière, quand Yves m'annonçait la mort imminente de notre troisième fille, Marie-Geneviève. Toutes mes amarres se rompent de nouveau.

Hurler, hurler encore, hurler de douleur, une douleur qui arrête tout sauf la poursuite de son propre chemin.

Je me retrouve dans le même tunnel qu'il y a cinq ans. Le même arrêt du temps, le même envahissement, le même état physique. Je suis meurtrie, abîmée, habitée par cette douleur qui me colle à la peau.

L'annonce de la mort d'Yves fait resurgir en moi des sensations déjà vécues.

Me revient d'abord la violence douloureuse du vide. Puis je revois l'image en noir et blanc apparue quelques heures après la mort de Marie-Geneviève : je suis hors du temps et j'avance droit devant, lentement. Le vent me traverse. Mon ventre reste avec un grand trou ovale, là où le vent s'engouffre.

Dans ma mémoire, la suite du tunnel continue de défiler. Il y a d'abord la culpabilité de ne pas avoir senti la détresse de Marie-Geneviève juste avant qu'elle soit extirpée de mon ventre. Puis vient le souvenir des dernières heures passées avec elle. Aider mon enfant à vivre, je m'y étais préparée et j'attendais impatiemment ce moment, mais aider mon enfant à mourir…

Je dois apprivoiser la mort, faire confiance à mes capacités d'être.

Je revois Yves entrer dans ma chambre à l'hôpital. Je ne peux me lever ni être déplacée. Il tient Marie-Geneviève tout contre lui et vient la déposer à mes côtés. Nous voulons demeurer tous les trois ensemble, en communion, pour ces derniers moments de vie. Je ressens encore l'immense peine d'Yves. Il pleure son désespoir de ne pouvoir partager avec sa fille, au fil du temps, de sa vie, l'amour qu'il éprouve pour elle.

Je me revois serrer ma petite contre ma peau, respirer son odeur, la goûter. Je l'ai léchée comme une chatte lave ses petits, et mon lait s'est déposé sur ses lèvres.

Puis défilent les images de mon retour à la maison. J'erre dans un état d'abandon. Petit à petit, je recommence à m'occuper de mes deux autres filles. Je ne peux rien faire pour moi, rien d'autre que de me laisser envahir par mes états d'âme.

Je ressens encore toutes ces émotions qui étaient miennes quelques semaines après la mort de mon bébé, les traces gravées dans mon être et le vide de son absence. Mon corps ressemble à celui d'un animal qui, d'instinct, veut prendre, allaiter et veiller sur l'enfant qu'il a porté. Je n'ai personne à porter pour satisfaire cette pulsion. Je me sens tourner en rond dans mon corps de mère en attente d'une enfant perdue.

Me reviennent enfin les sensations qui ont marqué la fin de ce tunnel. Une personne en moi s'est éteinte, une autre est née. Le tribut qu'il m'a fallu déposer, c'est la fin de mes rêves et de mes illusions de jeune femme. Puis, le vide a créé en moi un nouvel espace à explorer.

J'ai la certitude que cette mort m'a fait grandir, que je n'attends plus Marie-Geneviève parce qu'elle a contribué à bâtir ce que je suis devenue.

Ces émotions en cascade s'arrêtent abruptement. Je reviens au présent, face à une deuxième mort.

Seule.

Terriblement seule.

Je souhaitais une année en voilier riche en nouvelles images. Les nouvelles images, je les aurai, mais l'album s'intitulera *La mort d'Yves*.

Je voudrais me sauver, laisser échapper ce cri que j'aurai dans la gorge des mois durant, bouger pour ne pas sentir aussi nettement la mort, mais je ne peux pas. Tellement blessé, mon corps ne me laisse même pas exprimer ma douleur. Il ne peut que se laisser transpercer, clouer davantage.

C'est donc avec mes larmes seulement que je recevrai cette mort. Même les sanglots ne me sont pas permis; mon corps a trop mal pour les supporter. J'aurais aimé que quelqu'un lèche mes larmes, les goûte pour sentir leur poids et le partager avec moi, mais, au fond, le seul qui aurait pu le faire était… disparu.

Même si je sais que la finitude et la solitude sont le propre de l'homme, en ce moment ces émotions pèsent tellement lourd qu'elles m'écrasent, m'étouffent et me paralysent.

Le réconfort du cœur ne peut passer que par celui du corps. Les mains de l'autre sont vitales en de tels moments. C'est précisément ce que je n'ai plus. Je me retrouve donc anéantie. À mon tour, je suis morte. Sur ma civière, seules les larmes coulent encore.

Beaucoup plus tard, la respiration de Rosalie à mes côtés est le premier indice de vie que je perçois. La mort : comment traiter avec cet absolu? Comment l'approcher seulement, l'apprivoiser? J'ai les épaules clouées au sol. Terrassée, il me faut commencer à ouvrir les yeux et regarder pour avoir moins peur de ce que je ressens. Yves avait la peau chaude et rassurante. Mon dernier contact avec lui a été ma main sur sa cuisse dans l'abandon de son sommeil, sur l'autoroute 20. La chaleur de son corps m'était toujours disponible, je pouvais m'y envelopper et m'y bercer. Cela n'est plus possible.

Je le verrai deux fois après sa mort. La première, je n'en ai plus la souvenance. Je me rappelle seulement avoir demandé à le voir, et la blancheur des rideaux tirés tout autour du lit où il reposait.

On m'a transportée en civière jusqu'à lui. J'arrive à peine à soulever la tête. Nos deux corps sont allongés côte à côte sur des lits séparés qui nous mèneront vers des chemins divergents. Les images ne s'impriment pas, ni les sons, d'ailleurs. Je lui ai parlé, mais je ne me rappelle plus ce que je lui ai dit. Ce trou de mémoire me laisse une sensation d'inachevé. Nous ne pouvons pas finir notre vie commune sur des mots qui ne se sont pas fixés, nous ne pouvons pas finir sur un blanc.

Plus tard, je demanderai à le revoir. C'est un impératif. Mon sentiment demeure clair même si ma mémoire dérape. Je n'ai pas fini ce que j'avais à lui dire.

Quatorze heures se seront écoulées depuis l'impact quand je retournerai le voir. Depuis peu, les images de ce qui se déroule sous mes yeux s'impriment dans ma mémoire. Je peux de nouveau les superposer au son. Je vois ce que je regarde. Certains de mes disjoncteurs rétablissent le courant et me branchent sur une réalité accablante.

Je me rendrai à ses côtés en fauteuil roulant, cette fois. C'est donc assise, et non couchée, que je pourrai le regarder et m'adresser à lui.

Il se trouve au fond de la salle. La pénombre règne. S'il était debout, nous nous ferions face.

Je me laisse conduire auprès de lui.

Le froid de son corps me transperce. C'est la première sensation distincte que j'éprouverai avec la mort du corps : le froid. Celui des grandes steppes, celui qui ne permet aucune autre présence que la sienne. Le froid tranchant, austère et pur.

Seuls ses cheveux ont conservé toute leur souplesse. Tout le reste est figé par le froid. Pour la première fois, le corps d'Yves n'est pas accueillant à mon égard. Son absence est criante. Cela appelle la fin.

Le froid et le vide, voilà la réalité que m'impose la mort.

Je suis saisie. Le temps s'arrête. Puis j'achèverai notre vie à deux en lui disant ce qui me touche le plus en lui : sa beauté, son goût fou de la vie, sa force, sa droiture, son amour. Et mon désespoir de le voir quitter si abruptement notre lit, notre vie. Une nausée m'envahit, et c'est pour vomir que je m'éloignerai une dernière fois de lui.

Après l'impact, le bruit recouvrait tout et ne semblait pas vouloir s'arrêter. Le temps s'est suspendu, puis j'ai repris contact avec la réalité. Je suis toujours assise derrière le volant et n'ai pas de sensation de douleur. Je ne remarque que le bruit qui résonne encore. Je peux bouger. Je regarde Yves; il est assis, mais son corps est incliné sur le côté. Plutôt que de reposer sur moi, ses épaules et sa tête se retrouvent à l'arrière de mon dossier. De toute évidence, son siège a reculé.

Je regarde devant moi et je sens mes yeux se couvrir. C'est tiède, plus épais que des larmes; je saigne. Ce ne sont pas mes yeux, je vois toujours. Je me tourne de nouveau vers Yves. Il n'a pas bougé. Je l'appelle doucement, lui mets la main sur le bras et le pousse légèrement à quelques reprises, comme pour le réveiller. Il n'a aucune réaction. Je lui parlerai plus tard, quand il reprendra conscience.

Je regarde vers l'arrière. Au premier balayage, je constate que Rosalie hurle à fendre l'âme, que Virginie, au centre, semble dormir, la tête penchée vers l'avant, et qu'Émilie, derrière moi, me parle. Deuxième balayage : Rosalie saigne un peu de la tête, Virginie ne saigne pas et Émilie est blessée au front. J'ai besoin de les toucher, mais je ne peux le faire facilement. J'ouvre la portière et sors du véhicule. Je peux maintenant y arriver. La vitre a volé en éclats et je n'ai qu'à me pencher vers l'habitacle pour être plus près d'elles. Émilie me parle et j'aperçois la panique dans ses yeux. Elle me dévisage; j'ai la figure en sang. Puis, du regard, elle m'indique ses jambes : Yves a la tête posée sur ses genoux. Je ne peux qu'essayer de la rassurer. Je ne me rappelle ni les mots ni la voix que j'ai pris pour la calmer. En lui parlant, je tente de faire un bilan. Je bouge, je n'ai pas particulièrement mal, ma portière s'est ouverte facilement, Émilie me parle, Rosalie crie mais c'est normal et Virginie, sous l'effet du choc, ne s'est pas encore réveillée. C'est plutôt bon signe. Peut-être, tout compte fait, l'impact n'a-t-il pas été si violent.

À ce moment, une femme s'approche de moi et me dit que les secours ont été appelés. Elle me prend par les épaules, délicatement, et me parle. Je finis par l'entendre dire que je dois me calmer. Effectivement, en y regardant de plus près, je constate que tout mon être est en alerte. Elle veut m'éloigner de l'auto, je ne veux pas. Elle insiste, disant que je vais transmettre ma tension aux enfants. Je m'éloigne un instant pour éviter de la contrarier, puis, en lui assurant que je me contrôle, je retourne à côté de l'auto. L'angoisse omniprésente se manifeste par mon incapacité absolue à être tenue à distance de mes filles. Je ne peux m'en séparer. Je ne peux supporter l'éloignement. C'est une idée fixe. Elle me dérange, cette femme, en voulant autre chose pour moi, mais elle me rassure aussi, en demeurant à mes côtés; elle est témoin de ma douleur et m'aide à me sentir moins seule.

Défilent alors devant mes yeux les conséquences possibles de cet accident. Un départ retardé, annulé, ou une vie à jamais changée… Pas si près du but… Non… Tout se bouscule, devient confus. Cette femme m'éloigne encore de la voiture. Je me sens très troublée. Je suis en face d'elle, la regarde. Ses cheveux sont bouclés, plutôt longs. Je me colle contre elle et je lui parle de notre départ pour les Bahamas dans trois jours. Consciente de la futilité de ma remarque, je ne peux toutefois lui dire autre chose et je m'interdis de crier, ne voulant pas qu'elle m'empêche de retourner auprès de mes enfants. Dans cette valse d'allers-retours, je sais qu'il me faut adopter le bon comportement si je veux que l'on m'accorde la permission de rester auprès de mes filles. Tout comme une enfant, je dois promettre d'être sage pour avoir ma récompense. Je ne veux pas quitter les miens, ça me semble légitime. Elle ne veut pas que je les affole davantage, ça s'explique aussi. Je quitte ses bras qui me tiennent à l'écart, me sauve et retourne à l'auto. Elle m'y rejoint.

J'ai de plus en plus de difficulté à me tenir debout, je respire rapidement, j'ai mal, mais je ne quitterai plus mes enfants. La femme ne m'en reparle d'ailleurs pas jusqu'à l'arrivée des ambulanciers; elle me dit alors simplement de libérer l'espace pour leur permettre de travailler. Je me rends à cet argument, cessant de lutter et laissant l'angoisse m'envahir. Je m'éloigne de mes filles, vaincue.

Je suis assise sur le gazon, appuyée sur cette femme qui m'enveloppe et me veille. Le peu d'images que je reçois se constitue de *flashs* qui ne me permettent qu'une brève lecture. Le reste du temps, tout est noir. Je ne fais qu'entendre et ressentir. J'ai le souvenir de répondre aux ambulanciers, de demander à téléphoner, d'aller voir Virginie, de sentir la douleur monter, mais la trame demeure incomplète.

Après de longues semaines, j'ai rejoué en pensée, d'une façon obsessive, ce dernier acte de ma vie d'avant. J'ai rejoué l'accident avec ce qui m'en restait, avec ce que les autres m'en ont dit, avec la mémoire de mon corps. Je l'ai rejoué tant et tant de fois pour parvenir à m'y associer, pour m'approcher de l'univers affolant du froid, du vide, des nausées qui nouent tout ce qui n'est plus.

J'ai pu enfin détacher ces événements de moi, et leur faire prendre le chemin des souvenirs, quand j'ai pu côtoyer la douleur qu'ils me communiquaient et agir pour l'apaiser.

J'ai reconstitué la fin de cette vie qui avait été la mienne. J'ai redessiné pour survivre une scène toute simple, sur les lieux mêmes de cette fin.

Je me vois assise par terre à l'arrière de l'auto, mes trois filles sur la banquette. Yves est assis à l'avant et incline son corps pour venir déposer sa tête sur mes genoux. Au fond, je n'ai rien modifié de leurs positions réelles après l'impact. Je me suis simplement imaginée à l'arrière de façon à pouvoir les toucher tous, et là, dans la simplicité du geste, les caresser et les bercer en leur chantant un air d'enfance. Leur donner, à travers *Partons, la mer est belle*, ce réconfort et cette sécurité qu'une mère donne à son enfant lorsqu'elle l'allège du poids de la vie. Je veux bercer ma famille en mon sein dans l'habitacle de cette voiture devenue le dernier lieu de notre communion et, par le fait même, son tombeau.

Cette image m'atteint chaque fois qu'elle refait surface. Les choses se sont déroulées bien autrement sur les lieux de l'accident, mais cette même compassion pour les miens m'a cependant toujours guidée.

Les obsèques

Quelques jours ont passé depuis la mort d'Yves.

Je repense à la présence de mes proches. Tels de fidèles alliés, ils font front avec moi. Ils me tiennent dans leurs bras et me réconfortent. Dès le coup de fil que j'ai passé sur les lieux de l'accident, mes sœurs ont fait équipe. Elles nous accompagnent, mes filles et moi. Rapidement, elles contactent les autres membres des deux familles et les amis. Virginie, dans le coma, a été transportée dans un autre hôpital, mais jamais elle ne sera laissée seule jusqu'à sa sortie. Ils se relayeront tous, jour et nuit, pour marquer une présence à ses côtés. Famille et amis assument tout du quotidien : ils prennent en charge la maison, les déplacements, les repas. Le voisinage contribue aussi, de même que mes collègues de travail. Tout un chacun apporte des provisions, afin de m'éviter la corvée des repas. Chacun offre son aide et je reçois tout comme une offrande.

Ils me maintiennent en vie artificiellement. Sans doute sentent-ils que je ne peux le faire seule. Ils me la communiquent par osmose, cette vie que je ne parviens plus à percevoir. Ils me placent au cœur de ce qu'ils vivent et je sens leur générosité. Je sais, dès lors, qu'ils seront près de moi tant qu'il le faudra.

La mort rôde autour de moi et me menace. C'est dans l'ordre des choses. Toutefois, me sentir entourée à ce point allège le poids qui me fait courber l'échine. On veillera sur mes enfants et sur moi le temps de cette tranche de vie, la durée de ce combat.

Le premier geste que mon entourage m'a aidée à faire en me permettant d'être tout à mon drame fut, sans doute, celui d'annoncer à mes filles la mort de leur père. Geste simple, si l'on considère le peu de mots nécessaires pour exprimer une réalité aussi nette, mais si difficile tant les émotions qui s'y collent sont douloureuses.

Me reconnaître dans leur détresse me permet d'y arriver. En annonçant à mes filles la mort de leur père, mon seul réconfort est de sentir chez elles la même affliction et de reconnaître que nous sommes toutes au même point, démolies. Ce réconfort est lié au simple fait que je situe très bien leur univers et qu'il m'est facile de les y rejoindre. Je peux, dès lors, partager un coin de leur souffrance en étant là, en offrant mes bras pour que nous laissions couler nos larmes et nous sentions moins seules.

Le deuxième geste à poser se tient devant moi, et se nomme obsèques.

Terminer la vie, clore un tableau, voir le rideau baisser, j'ai déjà connu ça. Je sais que des gestes concrets s'avèrent essentiels pour me permettre d'arrêter le temps et d'absorber la fin.

J'ai laissé venir les images, j'ai laissé remonter ce qui était enfoui en moi. Des mots ont fait surface. La mort, la perte, le partage, revoir. Avec ces quelques mots, j'ai dessiné les obsèques.

J'arrive au salon funéraire. Une semaine s'est écoulée depuis l'accident. C'est l'endroit même où reposait Marie-Geneviève cinq ans plus tôt. Mon souffle se fait court, il a du mal à passer. Un étau me serre. Il est là, je suis là. Il n'y a plus de magie. Que de l'abandon. Que le vide.

Ce vide est celui que l'on ressent quand la mort n'a pas tout à fait terminé d'anéantir ceux qui restent et que la vie renaît trop faiblement pour qu'on la sente ailleurs que dans l'automatisme de la respiration.

Je reste debout. Tout le temps. Je ne peux pas m'asseoir. La douleur se tolère mieux debout.

Les gens arrivent. Ils sont tous là. Ils occupent tout l'étage. Chaque visage que je vois me donne du courage. Après le salon, il n'y aura pas de service religieux. Je voulais simplement un lieu de recueillement qui pouvait nous contenir tous.

Je veux dire à Yves ce qu'il me fait perdre par son départ. Des parents et des proches exprimeront aussi la façon dont ils vivent leur deuil.

J'ai mis sur papier mes premiers contacts avec ma détresse, avec le départ d'Yves, et je commence à lire, devant tous ces gens rassemblés, ce que j'ai écrit. J'ai du mal à trouver ma voix. Elle tremble et faiblit à l'idée d'affronter une si grande perte. Je ne sais plus comment poursuivre. Une chaleur, tout à coup, se répand dans mon dos. Un homme se tient derrière moi. Il est attentif et veille sur moi. Chaque fois que s'éteint ma respiration, il s'approche imperceptiblement et me touche à peine, mais sa chaleur me ranime. Je lui dois d'avoir pu lire jusqu'à la fin ce que représentait mon amour pour Yves. Ma lecture terminée, mon souffle reprend un peu de régularité. Je m'assois près de mes filles et je me laisse emporter par le témoignage de chacun.

À la fin, je me retrouve dehors, les yeux mouillés et le sourire timide. Entendre parler d'Yves m'a fait grand bien. Mon cœur s'est apaisé. Je sais que d'autres ont mal aussi, et qu'ils s'unissent dans cette perte. Ce temps d'arrêt, où l'on est chacun à sa peine, se veut une marque de reconnaissance. L'acceptation de notre tristesse commune devient aussi le point de départ d'un accord tacite collectif. Un temps de réclusion et de dysfonctionnement m'est accordé. Je peux prendre mon temps pour m'écrouler; tous comprendront, tous accepteront. La pression sociale se relâche pour un temps, et c'est un cadeau d'une inestimable valeur.

2

Raconter

Il y a trois ans déjà que j'ai reçu cet appel téléphonique : «Monsieur Deslauriers? Je suis Marie Dell'Aniello...» Trois ans depuis mes premières rencontres avec Marie et ses trois filles, Rosalie, Virginie et Émilie.

Pour un psychoéducateur, chaque expérience de thérapie s'avère unique. Et celle que j'ai connue avec cette famille l'est particulièrement. Elle fut marquante parce que, pour la première fois, j'aidais tous les membres d'une même famille, à la suite d'un accident de voiture dans lequel le père a trouvé la mort.

J'ai compris que cette femme ne voulait pas seulement survivre, mais vivre. Elle a osé : oser faire des gestes inhabituels, oser explorer sa détresse jusqu'au bout, oser rire et pleurer, oser vivre, quoi! Elle a transmis à ses trois filles cette audace. Cette attitude trouvait écho dans mes convictions les plus profondes.

La complicité que j'ai établie avec la famille est exceptionnelle. Marie n'hésitait pas à me faire part de ses inquiétudes au sujet de ses filles et, ensemble, nous essayions d'imaginer des façons d'aborder le problème particulier de l'une ou de l'autre, de l'intégrer dans un exercice important à vivre en famille. Quant aux filles, elles entraient dans le jeu dès que je leur demandais de faire un dessin ou que je proposais une activité.

À certaines occasions, j'étais conscient de courir certains risques, par exemple celui de sortir de mon bureau de thérapeute : être présent avec la famille lors d'un rituel et d'une cérémonie commémorative, assister à l'enquête préliminaire au palais de justice, accompagner Virginie au cours d'une visite de la salle de traumatologie où elle avait été admise à la suite de l'accident. À ces occasions, mon expérience de psychoéducateur et mes vingt-cinq ans d'intervention auprès de personnes en difficulté m'ont grandement aidé. Je ne suis pas tombé dans la pitié et j'ai évité de me faire bouffer par leur détresse, leur peine, leur colère ou leur impuissance. Afin de répondre adéquatement à la détresse de chacune, j'ai dû parfois utiliser une approche et des moyens qui ne m'étaient pas familiers. Par exemple :

- me servir d'une marionnette pour que Rosalie se sente à l'aise;
- utiliser de vieilles boîtes de carton pour reconstituer des éléments de l'accident, tels les hôpitaux;
- créer un personnage plus grand que nature pour aider Virginie à exprimer sa colère;
- acheter une ambulance-jouet pour que les filles puissent revivre de façon réaliste une scène de l'accident;
- construire une cabane de couvertures dans mon bureau à la demande de Rosalie, et m'y glisser avec elle pour lui raconter une histoire;

- demander à Marie de s'adresser, debout et à haute voix, à cet homme responsable de l'accident, parce que, assise, elle n'arrivait pas à le faire et se recroquevillait sur elle-même.

Cette famille m'a touché profondément. J'en ai parlé partout : dans mes conférences, au cours de mes formations, à d'autres collègues de travail, à des amis et à la maison. Ma compagne m'a même fait la remarque : «Tu en parles beaucoup, peut-être trop?» Je m'en suis défendu, mais, avec le recul, j'avoue qu'elle avait raison. J'en parlais beaucoup parce que c'était nouveau. C'est ma façon d'intégrer des expériences de vie qui sortent de l'ordinaire. De plus, puisque chaque membre de la famille répondait bien à mes interventions, cela devenait gratifiant, stimulant.

J'avais une grande confiance dans la capacité de chacune à s'en sortir par ses propres moyens. Loin de les surprotéger, j'ai plutôt tenté de les guider, de les provoquer parfois, en les plongeant dans leur peine, dans leur colère, dans l'ennui. Les techniques d'intervention, les accessoires utiles tels les jouets, la fréquence des rencontres et l'aménagement des lieux demeurent certes des éléments nécessaires. Mais toute cette «quincaillerie» ne constitue qu'un support pour construire la confiance et la complicité.

Un livre

Les conditions administratives mises en place par la Société de l'assurance automobile du Québec ont permis que cette thérapie puisse se poursuivre pendant plus de deux ans, sans causer de soucis financiers à la famille. Au fil du temps, la douleur des unes et des autres s'estompa. Les séances s'espacèrent. La fin des rencontres approchait. L'idée d'écrire un livre commença à faire son chemin.

Pour Marie, écrire représentait une étape pour prendre une distance après deux ans de thérapie, une façon de formuler les choses autrement après les avoir explorées intensivement et sans retenue. Pour moi, cela m'obligeait à revoir mes interventions, à relire mes notes, à clarifier, expliquer, mieux comprendre ce que j'avais fait, comment je l'avais fait et pourquoi. C'était une façon personnelle de prendre du recul par rapport à mon travail et d'en faire la critique. Je me disais aussi que l'expérience que la famille et moi avions vécue pouvait inspirer les lecteurs dans leur quotidien et les intervenants dans leur travail. Parfois, aussi, j'imaginais Rosalie, Virginie ou Émilie, dans vingt ans, en train de feuilleter ce livre avec leurs enfants, leurs conjoints, et de se souvenir… entre autres de ce monsieur barbu qui les a aidées un petit peu.

Au-delà de ce «noble cadeau» offert aux enfants, ce livre me permettrait un détachement progressif de cette expérience vécue intensivement pendant deux ans auprès de cette famille.

Accepter d'écrire un livre, c'est bien beau, mais encore faut-il déterminer quoi écrire, comment s'y prendre. Comment aborder mon travail auprès de Marie, Émilie, Virginie et Rosalie sans tomber dans le mot à mot, jour après jour? Comment parler de moi, de mon parcours personnel comme thérapeute, comme personne, comme conjoint, comme père? Je ne voulais surtout pas adopter une attitude d'analyste, de spécialiste retranché derrière ses connaissances et son savoir. De plus, le fait de rédiger un livre avec une ancienne cliente modifierait très certainement notre relation. Je me demandais comment j'allais réagir au travail d'équipe, comment j'allais faire pour me glisser dans la peau d'un coauteur plutôt que dans celle d'un thérapeute.

J'ai décidé de raconter. Raconter ce qui a constitué les moments forts pour chacune d'elles et pour moi. Raconter les mots qui portent, les gestes qui apaisent. J'espère ainsi communiquer au lecteur des pistes de réflexion, des idées qui puissent l'aider à traverser des moments difficiles au cours de sa vie.

Il était une fois…

Le début de cette histoire ressemble à un conte. En effet, quelle belle aventure cette famille avait préparée : un voyage en voilier, aux Bahamas, pendant un an. Bien sûr, une telle entreprise comporte des risques. Les sorties en haute mer ne sont pas de tout repos.

Cependant, au lieu de se retrouver ensemble sur le bateau, à voguer, à tanguer, à affronter le calme plat, la pluie et le vent, Marie, Émilie, Virginie et Rosalie se retrouvent chez moi, affrontant une autre tempête : celle de l'impuissance, de la colère, de la peine et de l'absence.

Nos rencontres, ces autres «sorties en mer», riches et touchantes, parfois calmes, agréables, mais le plus souvent difficiles, cachent des découvertes et de nombreuses surprises. Avec Marie, elles se déroulent souvent de la même manière : elle raconte comment s'est passée la semaine. Elle partage une préoccupation, une émotion ou un événement pénible. Elle s'y plonge, elle prend du recul, elle analyse, elle envisage parfois des moyens pour mieux composer avec le quotidien.

J'ai laissé Marie décider de la fréquence et du nombre des rencontres. Seule, et par tous les temps, elle fera plus de quatre-vingt «sorties» en haute mer. Au cours des premiers mois, il y en aura deux par semaine. Marie s'est vite rendu compte qu'elle devait affronter sa douleur. Elle voulait plonger au cœur de ses émotions, avec quelqu'un qui puisse l'aider à les ressentir, à vivre pleinement cette séparation, son deuil. Nos entretiens constituent le seul temps où elle peut se permettre de baisser les bras et de s'abandonner totalement à sa souffrance. Blessée de toutes parts dans son corps, dans son âme et dans sa vision du monde, accaparée par ses responsabilités envers ses filles, elles-mêmes en deuil et très souffrantes, prise dans le tourbillon d'un quotidien souvent difficile, il ne lui reste que la nuit et ces deux rendez-vous par semaine pour penser à elle, pour explorer sa souffrance et ce qu'elle soulève.

Pourquoi ai-je accepté sa demande de deux visites hebdomadaires, et de travailler à long terme? Habituellement je travaille à court terme, à raison d'une rencontre par semaine. Peut-être parce que je trouve important d'être attentif aux demandes de ceux qui connaissent bien leurs besoins.

Virginie participera à une vingtaine de «sorties». Rosalie, malgré son jeune âge, sera du voyage plus de vingt-cinq fois. Émilie prendra la barre trois fois.

Les entretiens individuels porteront toujours sur des thèmes intimes : une émotion, un geste, une difficulté. Il y aura aussi dix «expéditions familiales», surtout à mon bureau, mais parfois au tribunal ou à la maison, dans leur environnement. Ces visites en famille portent sur un aspect touchant la vie d'équipe à bord. Elles deviennent nécessaires lorsqu'un geste ou l'attitude de l'une a un effet direct sur les autres : une dispute, une exigence, des paroles blessantes, les tâches quotidiennes ou des gestes provocants. Au début d'une telle rencontre, il faut en donner la raison, préciser les faits. Parfois, l'une ou l'autre des filles a une version différente. Une discussion suit, au cours de laquelle chaque membre de la famille, à la mesure de ses capacités, participe à l'analyse et à la recherche de solutions.

Au total, il y aura plus de cent trente-huit rendez-vous. Personne ne les a souhaités. Marie et ses filles auraient aimé mieux les vivre réellement sur un vrai bateau, sur une vraie mer. La vie en a décidé autrement... Chacun dure environ une heure, sauf en de rares occasions, particulièrement en famille; dans ces cas, les entrevues peuvent durer deux heures.

C'est donc de cette équipée que je parlerai dans ce livre, d'une équipée qui a permis à la vie de refaire surface. Aujourd'hui, à la suite de ce périple, la famille peut voguer, de nouveau par bon vent, toutes voiles dehors!

J'en étais donc au premier appel de Marie...

Premières impressions

Elle se présente et raconte la mort de son conjoint, survenue il y a quelques jours. Elle exprime sa souffrance. Elle a déjà exploré ce désarroi, à la mort d'une fille, à la naissance, il y a quelques années, et sait donc qu'il faut nommer les choses. Elle décrit le plus récent événement, sa douleur, celle de ses filles. Elle parle longtemps, d'elle-même, de ses enfants.

Je l'écoute, mais c'est avant tout le ton de sa voix qui me touche. Il exprime à la fois sa souffrance, sa détermination, sa volonté, son goût de survivre.

Au fil de ses paroles, je me souviens de cet accident ayant fait la manchette aux nouvelles télévisées quelques jours plus tôt. Un père de trois enfants y a perdu la vie à la suite d'une collision sur l'autoroute, provoquée par un homme en état d'ébriété conduisant en sens inverse. On soulignait que la mère et les filles avaient été blessées, dont une grièvement. Des scènes déchirantes ! Ma compagne et moi avions été touchés et choqués.

Après cet appel, je me sens inquiet. C'est la première fois que j'aurai à travailler avec quatre personnes d'une même famille vivant un choc traumatique important, physique et psychologique, à la suite de la mort du père dans des circonstances violentes mettant en cause l'irresponsabilité d'une tierce personne. J'ai l'impression que ce qu'on me demande dépasse les frontières que je connais. Serais-je à la hauteur ? Vais-je savoir m'y prendre ? Mon vieux fond de doute refait surface. Je le connais bien. J'ai appris à le laisser se manifester sans pour autant le laisser me paralyser. Ses origines me sont familières. Je l'associe à des souvenirs précis.

Mon père est un chef d'orchestre reconnu. Je l'admire ! Ce n'est cependant pas facile de se définir, avec un tel père, si souvent absent et distant. Maman comble ce vide par une présence active et encadrante. À mes yeux d'enfant, m'affirmer vis-à-vis d'elle semble une entreprise risquée. Entouré de quatre sœurs (notre seul frère est décédé à l'âge de six mois), j'ai de la difficulté à déterminer mon identité, à savoir qui je suis réellement. Le doute s'intensifie.

À l'adolescence, c'est la «folle vie d'équipe» : folklore, ski, auberge de jeunesse. Plus de doute pour l'instant ! Tout se décide en groupe. Combien c'est rassurant de savoir qui je suis avec l'aide des autres ! Je suis ce qu'on reconnaît en moi. La protection du groupe se poursuit dans ma vie professionnelle. Vingt-cinq ans de travail d'équipe sérieux et intensif.

Après deux mises à pied, j'opte, de façon très intuitive mais avec anxiété et doute, pour un travail individuel de consultant et de thérapeute auprès de personnes en deuil. Me voilà sans filet de sûreté! À cette période, j'ai besoin de me prouver ma valeur. Les dix années qui suivent me permettent de me définir par ce travail en solitaire, où la réussite et les échecs ne sont attribuables qu'à soi-même et non à «l'équipe».

Aujourd'hui, je sais mieux en quoi je peux être original, différent, unique, mais je suis aussi plus conscient de mes limites. Malgré tout, dans des situations nouvelles, mon vieux fond de doute refait parfois surface quelques instants, question de ne pas oublier qu'il fait partie de moi.

L'appel de Marie a donc fait réapparaître ce doute, mais je me sens quand même fier d'avoir été «choisi», et j'accepte le rendez-vous, pour cette famille, pour moi, malgré mes appréhensions.

Lorsque je rencontre Marie, la première fois, le 17 septembre 1996, elle porte encore les marques physiques de l'accident, des bleus évidents sous les yeux. Elle a les traits tirés et les épaules voûtées. Son regard demeure absent. Son pas, cependant, demeure décidé. Je sens la vie et la détermination encore présentes en elle.

Passant de la salle d'attente à mon bureau, je suis conscient de la chaleur que dégage cette pièce, avec la douceur des couleurs, la discrétion des objets, le confort des fauteuils, la vue sur le jardin. C'est un premier baume que je peux lui offrir. Un lieu sacré, protégé.

Ce lieu importe pour moi. J'y travaille, j'y vis une bonne partie de la journée et j'aime m'y sentir à l'aise. Lorsque je suivais moi-même des thérapies, j'accordais beaucoup d'importance aux lieux où elles se déroulaient. Je pouvais tout exprimer si l'endroit était calme, rassurant, doux. J'ai donc voulu que la pièce où je reçois maintenant des gens devienne un havre, qu'ils aient l'impression d'entrer en rade lorsque la mer est déchaînée. Je veux qu'ils s'y sentent protégés et, souvent, ils me le confirment et l'apprécient. Ils peuvent baisser les bras, débrancher le pilote automatique qui permet de survivre au quotidien, laisser tomber les masques, s'abandonner à leurs émotions.

Lorsque nous sommes bien installés, je demande à Marie quelques renseignements : adresse, téléphone… Elle répond machinalement, mais je sens chez elle l'urgence de raconter. J'arrête mes questions.

Marie relate son histoire, lentement, doucement, simplement : le projet de voyage, la dernière visite à la famille, le retour à la maison, les deux phares… Au cœur de sa souffrance, je sens une peine énorme, la tristesse, le sentiment d'impuissance, l'inquiétude devant la souffrance de ses enfants. Sa peine est vive, mais aussi contenue. Le plus dur, dit-elle, c'est la souffrance de ses enfants. Plus jamais elles n'auront de papa, plus jamais…

En entendant ces mots déchirants, j'éprouve l'envie de pleurer. Je tente d'imaginer ces fillettes sans leur père, pour toujours. Me vient alors à l'esprit l'image de mes propres filles sans leur père…

Marie voudrait pouvoir porter à leur place l'immense peine de ses enfants, dont elle est témoin chaque jour et qui rend son deuil si difficile. Elle doit, dans la tempête, assumer le quotidien, quels que soient ses états d'âme. Lorsqu'elle perçoit cette responsabilité comme une montagne infranchissable, que l'absence d'Yves devient insoutenable, elle envisage la folie comme solution à la fin de toutes ses souffrances. Puis elle se dit qu'il faut continuer, qu'elle peut maîtriser ses émotions, qu'elle peut faire tous les gestes de la vie quotidienne.

«Je sais que je peux tout comprendre, me confie-t-elle. Il y a quelques années, j'ai déjà perdu une fille, à sa naissance. Ce fut l'enfer. Je crois avoir bien assumé ce moment difficile. Bien sûr, Yves était là, près de moi, tandis que maintenant je suis seule avec les trois enfants. Ce que je sais, c'est que je dois exprimer ce que je vis et ce que je ressens. À certains moments, je ne sens rien. J'ai peur de réagir tardivement, dans un an ou deux. Je veux tout vivre maintenant, intensément. C'est pour ça que je viens te voir, pour que tu m'accompagnes et que tu fasses émerger maintenant ce qu'il y a de souffrance, de douleurs, d'émotions en moi. J'ai besoin d'aide pour arriver à exprimer tout ça.»

La rencontre tire à sa fin. Elle dit qu'elle reviendra, pour poursuivre ce qui a été amorcé. Elle veut que ses filles aussi viennent me voir. Voilà, je me retrouve sur le même bateau qu'elles; nous naviguerons à cinq.

À la suite de ce premier contact, je suis fébrile. Je le ressens physiquement. J'ai froid, malgré le temps très doux. Ce n'est pas la première fois que ça m'arrive de réagir ainsi en présence de quelqu'un en détresse, en état de choc ou de grande souffrance. Je devrais sans doute demeurer objectif et dégagé. Foutaise! Je suis engagé dès que j'accepte le contact avec la personne que je reçois. J'accepte d'être touché. J'accepte de ne pas être «objectif». L'est-on jamais, d'ailleurs? Cette notion d'objectivité me semble un mythe. Je crois au contraire que l'aide que j'apporte aux gens est intimement liée à qui je suis, à ma façon personnelle de réagir, de m'investir.

Après ma première rencontre avec Marie, je sens que je vivrai quelque chose de spécial avec elle et les enfants. Je ne peux préciser davantage cette impression, mais, pour un thérapeute, elle est stimulante.

Se souvenir

Plusieurs détails de l'accident échappent à Marie. Elle ne se rappelle plus comment elle a annoncé la mort d'Yves à Rosalie. La séquence chronologique de certains événements des dernières semaines ne paraît pas claire.

La violence d'un accident, l'intensité du choc, le décès d'un proche peuvent parfois amener à oublier, à effacer des détails trop pénibles, des émotions insoutenables, pour se protéger.

Il importe donc de rassembler les morceaux, de reconstituer les faits depuis le début, dans la mesure où Marie et chacune des filles sont d'accord pour participer. On se servira de tous les moyens disponibles :

les rapports écrits, le retour à l'hôpital ou sur les lieux de l'accident, la bande vidéo des scènes de l'accident filmées par les médias, le récit de témoins. Chacun a ses souvenirs : Marie et ses filles, les membres des deux familles et les personnes présentes sur les lieux de l'accident. Le travail de reconstitution se fera à divers moments, individuellement ou en famille, et même, à l'occasion, avec des témoins oculaires qui constitueront des complices importants.

L'être humain est capable d'adaptation. Dans certaines circonstances, oublier devient une protection nécessaire. Ce mécanisme permet de tenir à distance l'événement et les charges émotives qu'il suscite pour pouvoir conserver son équilibre mental malgré la souffrance. L'oubli a la même fonction qu'un disjoncteur dans un panneau électrique. Lorsqu'une surcharge menace de déclencher un incendie, le disjoncteur coupe le courant dans la section qui menace de tout faire brûler. Une fois le court-circuit réparé, une fois la menace éliminée, le disjoncteur peut-être remis sous tension et il ne sautera plus. Le courant circule de nouveau. De même, se redonner accès aux événements, explorer ce qui s'y cache, au besoin avec l'aide de quelqu'un, c'est permettre à la vie de circuler de nouveau.

Dans les films avec des scènes de procès, on nous montre souvent des avocats insistant pour qu'un témoin décrive factuellement ce qu'il a vu et entendu. Soudain, à un passage de son récit, la charge émotive émerge. Le témoignage a pour effet de «dégeler» la mémoire, de faire apparaître les images, les paroles et les émotions.

En racontant, il arrive qu'on replonge dans sa colère, sa peine, son sentiment d'impuissance. Cela peut s'avérer très angoissant de rétablir le contact avec une telle détresse. On a peur de perdre le contrôle, peur de devenir fou, peur de ne pas être en mesure de reprendre ses sens. Si l'accès aux souvenirs constitue la première porte d'entrée pour atteindre l'émotion, la souffrance, il faut cependant respecter le rythme de la personne, respecter ce qu'elle est prête à dire ou à ressentir graduellement, au fil des jours, des semaines, des mois.

Le récit de Marie et des enfants s'apparente à un film qu'elles me projettent. Chacune a la même histoire; cependant, chacune l'a filmée avec une caméra différente, placée sous un angle différent, captant ainsi des fragments différents de l'événement. Chaque version importe parce que c'est à partir de chacune d'elles que se sont ancrés des souvenirs qui, aujourd'hui, font émerger une gamme d'émotions. Nous reproduirons mentalement la séquence des événements à plusieurs occasions. Chaque nouveau récit amène la clarification de certains éléments ou une foule de détails nouveaux. Des pans complets de mémoire refont surface. Souvent, les nouveaux faits qui émergent ouvrent une nouvelle avenue à explorer ensemble.

Au cours d'une rencontre avec Marie, je lui ai demandé de raconter encore comment l'accident était arrivé. «Nous devions partir en voilier dans trois jours… Nous revenions d'un repas de famille : bonne bouffe, derniers moments en famille avant le départ, derniers au revoir… Puis il y a ces deux phares. J'essaie de les éviter à la dernière seconde. Yves!…»

À ce moment du récit, la mémoire physique de cet instant refait surface. Marie ressent violemment la souffrance dans tout son corps : tremblements, tension des muscles du visage. Je lui suggère de fermer les yeux, de respirer lentement et de se laisser imaginer la scène. «Je suis impuissante devant ce carnage!» dit-elle. Je lui demande ensuite si elle peut se voir dans cette scène. Qu'est-ce qu'elle aimerait y faire?

C'est alors qu'elle s'imagine assise sur la banquette arrière tout de suite après l'impact, entre Émilie et Rosalie, la tête d'Yves reposant sur elle. «C'est la dernière fois que nous sommes tous ensemble.»

J'attends. Silence…

Marie habite complètement la scène. Son corps est immobile. Elle respire à peine. Il y a une réelle rencontre entre elle et sa famille. Elle se réapproprie le pouvoir d'agir.

Quant à moi, je vis ce silence comme un instant sacré, intense. Je me sens privilégié d'en être le témoin. Je ne me sens pas voyeur, mais complice, fier d'avoir permis à Marie d'atteindre une telle douceur, un tel lien avec sa famille. Je me sens bien.

Lorsqu'elle commence à bouger un peu plus et que sa respiration se fait plus régulière, tout doucement je lui demande si elle voudrait faire autre chose avant de quitter cette scène. «Je m'imagine chantant *Partons, la mer est belle* à mes enfants et à Yves.»

Suit encore un long silence au cours duquel elle reste en contact avec cette image. Sa peine est visible, mais elle dégage aussi une impression de calme et, surtout, de grande intimité et de tendresse.

Je l'invite à continuer à raconter. Elle parle de l'arrivée des secours, de la terrible nuit à l'hôpital, de l'annonce de la mort d'Yves aux filles, du coma de Virginie, de la cérémonie pour Yves. Elle établit un parallèle entre la mort de son bébé naissant, il y a déjà cinq ans, et celle de son conjoint. Les deux sont survenues juste avant le début d'un projet de vie : celui d'élever un enfant, de l'amener à l'âge adulte, et celui de faire un voyage en mer avec la famille.

Au fil de mes rencontres avec Marie, mon travail principal en est un de guide. Il consiste à l'écouter attentivement, l'attendre lorsqu'elle ne trouve pas, la questionner pour qu'elle précise un détail ou se souvienne de certaines scènes, l'aider à trouver les mots pour décrire certains passages plus pénibles. Il s'agit pour moi de devenir un lien entre la réalité et son vide intérieur, entre la réalité et le néant, entre la réalité et la souffrance parfois insoutenable qui bouffe toute son énergie.

Chaque fois qu'elle me fait le récit des événements, je demeure attentif aux signes apparents : débit verbal, ton de la voix, teinte de la peau, position du corps, rythmes respiratoire et cardiaque, tension musculaire. Le moindre tremblement subit, la plus petite plaque rouge qui apparaît sur son cou à un passage précis du récit sont autant d'indices susceptibles d'indiquer la présence d'une charge émotive importante. À l'apparition d'un tel signe, je lui demande comment elle se sent. Cette question l'amène à prendre conscience de l'émotion qui l'habite à cet instant.

Mon travail avec Marie consiste aussi à l'aider à mettre en action les ressources dont elle dispose, ses qualités, pour qu'elle puisse mieux composer avec les événements, le quotidien des enfants ou, encore, l'absence d'Yves. Cette démarche s'avère difficile pour quelqu'un qui traverse une période où il se sent sans ressources. Je propose alors à Marie de s'approcher de sa peur, de son angoisse ou de sa colère à l'aide d'exercices et de visualisation.

Elle sait qu'une de ses grandes forces, c'est de comprendre et d'analyser les choses. Dans les mois qui suivent l'accident, Marie constate cependant qu'elle n'arrive plus à voguer au même rythme, à comprendre de façon aussi claire qu'auparavant. Ses idées s'embrouillent. Elle hésite. Elle cherche. Elle ne trouve plus aussi facilement les mots pour exprimer sa pensée. Les liens sont plus difficiles à faire. Elle n'est pas aussi lucide qu'elle l'a déjà été. Elle se sent ralentir.

Pour retrouver son ancien rythme de croisière, Marie devra raconter, ressentir, exprimer ses émotions, analyser, saisir l'impact de l'événement. Ce n'est qu'ainsi qu'elle pourra renouer avec sa grande capacité d'analyse et d'abstraction.

Maintes fois au cours de nos rencontres, ses hésitations et sa difficulté à trouver les mots appropriés l'amènent à se fâcher contre elle-même parce qu'elle se sent limitée, déroutée de ne plus avoir accès aussi facilement à une forme d'expression si naturelle pour elle à d'autres périodes de sa vie. Plutôt que de se décourager, cependant, elle persiste à vouloir retrouver cette force.

Marie a besoin de contrôler ce qui est encore contrôlable. Elle veut agir, régler des choses là où il est possible de le faire. En même temps, elle accepte de s'abandonner dans sa souffrance. Elle ne veut rien manquer de cet épisode de vie. Elle veut comprendre, mais aussi ressentir, jusqu'à la limite de ses forces. De plus, elle veut agir. Marie est ainsi dans tout. C'est donc dans sa nature de réagir de cette façon à la mort d'Yves.

Dans mon travail, il m'arrive de rencontrer des gens qui tentent de tout expliquer sans tenir compte d'eux-mêmes et de leurs propres sentiments. Pour d'autres, l'émotion prend toute la place, tout le temps. Certains choisissent de donner tout de suite un sens à ce qui leur arrive. D'autres tentent d'apaiser leur souffrance par une action directe sur leur corps : prise de vitamines, exercices…

D'autres personnes adoptent une manière différente, se lancent dans une surdose d'activités professionnelles ou sportives, pour se donner l'impression de s'en sortir.

Lorsqu'une personne vient me voir, je cherche d'abord à reconnaître ce que j'appelle sa nature dans sa façon de réagir à ce qui lui arrive. Pour se donner accès à ce qu'elle vit, quelle porte d'entrée lui conviendra le mieux ? L'émotion, la rationalité, la spiritualité, l'activité ?

Les personnes en deuil sont semblables à ce qu'elles ont toujours été avant l'accident d'un conjoint, le cancer d'un enfant ou la crise cardiaque d'un proche… Elles continuent d'avoir les mêmes réflexes. Les repères ne sont plus les mêmes, mais leur personnalité demeure. La façon dont chacune fait face à cette pénible réalité que représente la disparition d'une personne significative, devient une porte d'entrée permettant de traiter l'événement d'une manière qu'elle connaît bien.

Au moment où tous les points de repère tombent, où tout s'écroule autour d'elle, il importe d'accompagner la personne en deuil en respectant cette voie connue et rassurante pour elle. Bien sûr, je pourrai analyser ses paroles et chacune de ses réactions. Ce n'est cependant pas cette interprétation qui compte vraiment pour moi. Ce qui m'importe encore plus, c'est de connaître cette porte d'entrée, cette façon unique que chaque personne a d'aborder la réalité qu'elle vit ou la souffrance qui l'envahit. Il devient alors plus simple de la guider sur un terrain familier où il lui sera plus facile d'explorer son drame, d'explorer ses émotions, ses croyances, les actions qu'elle désire entreprendre. Et ce, toujours dans le respect de son intégrité et de son rythme.

Le sentiment de culpabilité

Marie, au cœur de la compréhension qu'elle a du tragique accident, nomme sa culpabilité.

Elle navigue sur une mer intérieure parfois déchaînée, parfois simple frisson à la surface de l'eau. Les images, les émotions, les interrogations, les souvenirs d'enfance oubliés émergent aux moments les plus inattendus. C'est ainsi que le sentiment de culpabilité fait rapidement surface.

Marie conduisait au moment de l'accident. C'est elle qui a dirigé la voiture vers le terre-plein à la dernière seconde. Elle se sent donc coupable d'avoir tué Yves. Elle pense qu'Yves aurait su éviter l'auto qui arrivait en face, qu'il aurait réagi plus rapidement et mieux qu'elle. Cependant, lorsque je lui demande ce qui le lui prouve, elle ne peut que répondre : «Rien.»

Peut-être qu'Yves aurait fait autrement. Peut-être que non. On ne le saura jamais. S'interroger à ce sujet ne peut changer quoi que ce soit. Par contre, je dois permettre à Marie d'explorer pleinement les reproches qu'elle se fait. Elle pourra ainsi transformer la culpabilité en regret et réaliser l'inutilité de son raisonnement. Elle doit en effet accepter qu'elle ne saura jamais si le résultat aurait été différent si Yves avait été au volant. Surtout, elle doit prendre conscience qu'une telle interrogation ne change rien à ce qu'elle doit faire de sa vie aujourd'hui.

Je ne veux pas nier son sentiment de culpabilité, qui risquerait alors de revenir encore et encore au fil des semaines. Il importe d'autant plus de l'explorer dès maintenant puisque la mise en terre des cendres d'Yves approche; ce seront les derniers adieux au corps. En «nettoyant» sa culpabilité, Marie pourra se présenter à la cérémonie un peu plus dégagée de la responsabilité d'avoir été la cause de cette mort tragique.

Faire ses adieux

Mon rôle ne consiste pas à convaincre une personne endeuillée d'adopter tel ou tel rituel funéraire, même s'il est parfois tentant de le faire. Peut-être serait-ce bénéfique si elle choisissait de faire les gestes auxquels je crois; pourtant, je me refuse à l'amener subtilement à prendre la décision que je souhaiterais.

D'autre part, comme être humain ayant des opinions, je n'ai pas à cacher mes convictions. Il m'arrive souvent de nommer clairement ce à quoi je crois si on me le demande. Je précise alors qu'il s'agit de convictions personnelles et non de la vérité.

L'important, c'est que la personne ait l'impression, dans ce qu'elle décide, d'aller au bout de ce qu'elle croit. Je la questionne sur les fondements de ses choix. Je lui offre d'autres possibilités, d'autres avenues, m'assurant ainsi qu'elle est consciente de ce qu'elle fait et de l'impact que pourraient avoir ses choix.

En règle générale, il importe de faire ses adieux en voyant le corps, en le touchant, ou tout au moins une partie, sinon des objets ou des vêtements portés par la personne au moment du décès. Si les circonstances de la mort rendent le corps méconnaissable, je propose de demander à une personne de confiance d'identifier le corps. Il faut confirmer la mort.

Quant aux enfants, on devrait leur demander s'ils souhaitent assister aux funérailles, puis respecter leur choix. S'ils veulent participer, il faut les préparer, leur expliquer ce qu'ils verront, ce qui se déroulera devant eux et les accompagner.

Dans tous les cas, il faut retenir une chose : quel que soit le rituel d'adieu adopté, il doit correspondre à la culture et aux convictions de l'individu. Au besoin, on peut créer de nouveaux rituels.

La mise en terre des cendres d'Yves a lieu au moment où chaque membre de la famille est remise de ses blessures et prête à vivre cet adieu, difficile mais nécessaire. Marie se sent prête à l'aborder. Je lui demande comment elle imagine la mise en terre, qui sera présent, ce qu'elle a l'intention de faire avec l'urne. Pour l'aider, je donne des exemples de ce que d'autres personnes ont fait. Elle écoute, enregistre, commence déjà à voir la scène. Je lui rappelle de faire ce qu'elle croit être le mieux pour elle et les filles. Au-delà des gestes que Marie choisira, l'important est de s'assurer que la cérémonie lui permette de se sentir en harmonie avec elle-même.

À la suite de mes questions, Marie décide qu'elle veut voir, toucher les cendres, et que les enfants doivent pouvoir participer au rituel. De plus, elle veut les enterrer à un endroit précis pour que chacune puisse y retourner si elle le désire.

Cet accompagnement de Marie dans la préparation de son dernier geste d'adieu me remet en mémoire la mort de mon frère François, décédé alors que j'avais deux ans. Ce n'est que quarante-cinq ans plus tard, après avoir exploré ce «vieux deuil», que j'ai vraiment pris le temps de l'enterrer, comme s'il était mort la veille. J'avais invité famille et amis à se réunir, un dimanche de novembre, autour de la tombe familiale où repose François. Il y avait du chant, des pleurs et des rires. Nous avions déposé des fleurs, lu des textes, apporté des objets. Nous voulions nous rappeler cet enfant disparu, mais aussi cicatriser une plaie encore douloureuse. J'ai déterminé le déroulement de la cérémonie selon ce qui me semblait le plus approprié pour moi, à ce moment. À mon invitation à la famille et aux amis, j'avais joint une lettre que j'adressais à mon frère.

Le 8 novembre 1990

François, mon frère, tu es mort il y a déjà quarante-quatre ans. J'avais alors deux ans et toi, à peine six mois. Ta disparition a marqué ma vie. Je t'en ai voulu d'être disparu en me laissant seul et désemparé. Longtemps j'ai caché cette blessure interne. Ça me paraissait plus supportable de cette façon. Ce n'est qu'une fois adulte que j'ai posé des questions. J'ai écouté maman me raconter ta si courte vie, ton agonie, ta mort et ton retour à la maison pour un dernier adieu.

Il y a quelque temps, j'ai appris à comprendre ce que je ressentais, sans pour autant laisser ma colère envers toi et ma tristesse se manifester. Hier, j'ai accepté de devenir plus vulnérable et plus tendre à la fois. Aujourd'hui, ta disparition devient pour moi une occasion de grandir. C'est maintenant que je peux vraiment te laisser partir.

À cette occasion, je désire que la famille, ta famille, et mes proches partagent ma tendresse et puissent être témoins de cette réconciliation à la fois réjouissante et triste. Sois certain, François, que tu demeures pour moi mon petit frère que j'apprends à aimer.

Le souvenir de cette journée au cimetière demeure encore très réconfortant. J'ai vraiment l'impression d'avoir finalement enterré mon frère.

Marie vivra le rituel de l'enterrement à sa manière. Voici comment elle décrit les adieux à Yves.

La cérémonie des adieux

J'ai fait incinérer Yves. Quelques semaines après sa mort, j'apporte ses cendres à la maison.

À peine arrivée, je dépose l'urne sur mon lit et l'ouvre. Je ne l'avais pas fait pour notre fille. Ce sont bien des cendres, comme celles d'un feu de bois, mais je sais que ce sont celles de l'homme que j'aime. Je les regarde, puis en retire une partie pour les mettre dans une petite boîte. J'avais offert des chocolats à Yves dans cette boîte, et il l'avait conservée. Je la confierai à l'un de nos amis qui part en mer sous peu. Il pourra les y répandre. Je referme l'urne, les mains tremblantes. Le cœur fragile, je sens le besoin de faire vite. Nous mettrons les cendres en terre demain.

Le reste de la journée, avec mes proches, je travaille longuement au regroupement des textes présentés lors des obsèques. Le soir venu, je m'approche de nouveau des cendres. J'ai senti Yves auprès de moi toute la journée et je me surprends maintenant à sourire près de l'urne, comme s'il se tenait devant moi. Cela ne dure que quelques secondes, comme un souvenir fugitif, mais ce réconfort m'apaise un peu.

Le lendemain, les enfants aussi veulent voir Yves, alors j'ouvre l'urne une nouvelle fois. C'est le vide, l'absence totale. C'est la réalité, une réalité que nous avons choisi de regarder. Toutes, nous avons des larmes qui nous coulent sur les joues. Nos regards se croisent et nous nous sentons unies. Pas besoin de mots. Nos yeux se parlent et nos mains se joignent. Nous nous rapprochons les unes des autres dans ce silence suspendu.

Au crématorium, les cendres ont été mises dans un sac de plastique, puis déposées dans une urne en bois. Émilie ne veut pas du plastique, car les cendres ne pourraient se mêler à la terre. Nous décidons de le remplacer par du papier. Avant de refermer l'urne, nous touchons ce qu'elle contient d'Yves.

Nous pouvons maintenant mettre en terre les cendres, auxquelles chacune joint une partie d'elle-même qu'Yves emportera avec lui. Émilie a écrit une lettre, Virginie a choisi un dessin et Rosalie, un toutou qu'elle affectionne. Quant à moi, je lui offre mes pensées. C'est tout ce qui me reste.

Des parents et des amis nous attendent au cimetière. Nous laissons les voitures et marchons vers le lieu réservé. Je porte Yves contre moi, tout comme j'ai porté Marie-Geneviève. C'est le même chemin. Le temps est frais, mais cette journée d'automne demeure magnifique. Le soleil et le vent sont très présents. Ils me portent. Ils me soutiennent.

Mes trois filles mettent Yves en terre, puis donnent à chacun une copie de l'assemblage de textes que nous avons préparé la veille. Je confie ensuite la petite boîte contenant une partie des cendres à l'ami qui les dispersera en mer, et fais entendre une chanson de Mouloudji. Enfin, avec son besoin de combler le vide, Virginie remplit le trou.

Le soir, pendant que nous soupons avec quelques proches, je me sens en paix d'avoir organisé la cérémonie d'adieu telle que je l'avais imaginée, mais aussi affolée devant la constatation de son absence irrémédiable.

Amorcer un détachement

Marie a encore un bon bout de chemin à parcourir pour lâcher prise, se détacher, apprendre à vivre sans l'autre.

Voici comment quelqu'un m'a déjà décrit le deuil. «C'est un peu comme si tu montais dans une auto et que le pare-brise était en fait un miroir, un rétroviseur. Tu ne vois que derrière. Pour voir de nouveau devant soi, il faut gratter la surface avec la pointe d'un couteau. C'est difficile, décourageant et long.»

Faire ses adieux représente le début du chemin.

La semaine après avoir fait les siens, Marie me confie : «J'ai conscience pour la première fois que c'est fini pour toujours.» Cette impression de «fini pour toujours» prendra de plus en plus de place dans ses propos. Je lui suggère d'écrire à Yves, avec son cœur, comme si elle s'adressait à lui en sa présence. «Raconte-lui vos joies, votre vie, sa mort, son absence, ta peine, ta souffrance.»

Elle accepte ma suggestion, malgré ce qu'elle craint de voir émerger. Lorsqu'elle revient me voir avec la lettre, je lui demande de me la lire à haute voix.

Elle lit lentement, doucement, tendrement, sans pudeur, mais avec beaucoup d'hésitations. Soudain, je constate qu'une peine immense l'envahit. Je lui demande alors d'arrêter sa lecture, de fermer les yeux, de poser les deux pieds fermement au sol et de bien ressentir cette douleur. Je l'invite à explorer les sensations physiques qu'elle éprouve à ce moment précis de son récit, à localiser la tension corporelle, à voir où se loge son émotion. «Dans le ventre», me répond-elle. Je lui suggère de respirer profondément et de s'imaginer en train de faire entrer l'air directement dans son ventre.

Après quelques instants, je lui propose d'imaginer Yves comme elle le veut, là où elle le voit. Elle me le décrit très clairement. Je veux ensuite qu'elle s'adresse à lui directement et à haute voix.

Elle pleure beaucoup. Elle se voit le prendre dans ses bras. Il n'est pas question pour l'instant de le laisser partir définitivement. Pas maintenant. Yves reste donc dans cette image qu'elle fixe en elle, après avoir imaginé un dialogue et des gestes avec lui.

C'est rassurant de voir qu'elle tient à lui encore très fort. Le contraire m'inquiéterait sans doute. Ce serait trop rapide.

Amorcer un détachement débute par les adieux, qui peuvent prendre diverses formes, réelles ou symboliques : un geste ou une parole au salon funéraire ou pendant les funérailles, un objet enterré avec le cercueil, la réalisation d'un projet prévu ensemble avant la mort… S'accrocher, espérer, cela paraît justifiable à ce moment du deuil. Se détacher trop vite peut avoir comme effet de figer la souffrance. On l'enferme dans une poubelle et on a l'impression que le deuil est «réglé». Longtemps après, bien malgré soi, la poubelle peut s'ouvrir et laisser émerger la souffrance. Encourager quelqu'un à ne pas s'accrocher, à passer à autre chose, sous prétexte qu'il se fait du mal, ne mène nulle part.

Longtemps, la personne endeuillée s'endort et se réveille avec la même pensée : «Il est mort!» La souffrance est envahissante. Puis, le matin où elle se réveille en se demandant plutôt s'il lui reste du café, elle peut considérer cette pensée comme une trahison. Non seulement je ne pense pas à lui, se dit-elle, mais je ne souffre pas. Cependant, cela signifie que le détachement est entamé. En aidant la personne à explorer ses sentiments et les raisons ou les émotions qui l'amènent à refuser la rupture, on peut l'aider à amorcer le détachement ou, du moins, à mieux comprendre ce à quoi elle s'accroche.

Le moment du coucher semble souvent une période difficile. C'est l'heure où nous cessons nos activités et nous préparons à entrer dans un état où tout contrôle nous échappe. Nos rêves, parfois cauchemardesques, prennent le dessus.

Marie en est bien consciente, pour elle et pour ses filles.

L'heure du coucher

Voir mes filles souffrir de l'absence de leur père et ne pouvoir leur offrir que ma présence en réconfort m'est difficile à supporter. L'impuissance me nargue. Je ne peux leur épargner cette longue traversée.

À l'heure du coucher, alors qu'elles sont épuisées après s'être étourdies toute la journée, la peine se fait omniprésente. Elles ne peuvent accepter la solitude qu'exige le sommeil. Durant de longs moments, assise sur le bord de leur lit, j'irai leur tenir compagnie à tour de rôle, les caresser pour les ramener aux souvenirs des douceurs possibles. Je leur parle de leur détresse et de la mienne. La main dans leurs cheveux ou les doigts autour des leurs, chaque soir, j'arrive à les amadouer pour qu'elles s'abandonnent au sommeil.

Chacune à sa façon, elles réagissent à l'absence d'Yves et la combattent pour mieux se protéger. Puis, je les vois peu à peu apprivoiser un chemin personnel qui leur permettra d'évacuer ce drame tout en en conservant une trace, qui fera pour toujours partie de leur histoire. Cette trace, elles pourront la découvrir leur vie durant. Pour l'instant, je veux simplement les apaiser pour que le sommeil leur permette de marquer une pause.

Avant d'aller dormir, elles me parlent de leur tristesse, des souvenirs qu'elles conservent d'Yves, de leurs peurs. Souvent, elles me demandent de leur raconter encore et encore comment l'accident s'est produit. Elles veulent comprendre comment elles ont perdu leur père et comment elles se sont perdues. Pendant des mois je recommencerai le récit de ce qui est arrivé. Cette prise sur la réalité revêt une grande importance. Elles en ont besoin pour absorber petit à petit cet événement aux proportions trop vastes, pour sentir que leur destinée leur appartient encore.

Parfois, je ne fais que rester près de mes filles, plongée dans mon désespoir. Ces moments servent de refuge nécessaire. Je m'y sens à la fois prisonnière et chez moi. Auprès d'elles, je retrouve une détresse aussi intense que la mienne. Ce contact brise l'isolement de la douleur. Mais, en même temps, leur peine m'emporte dans des coins de leur âme qu'il m'est terriblement pénible de connaître, tant je me sens impuissante à les consoler. Je n'ai alors que mes bras à offrir.

Mes filles sont aussi blessées que moi. Lorsque nous mettons en commun nos douleurs et arrivons à nous apporter un peu de réconfort, elles consentent à fermer les yeux et à s'endormir. Je répéterai ces mêmes gestes du récit et de la communion chaque soir, tant qu'elles n'arriveront pas à tolérer leur existence à cette heure où l'abandon exige un peu de paix en soi.

Jouer pour exorciser

Pour amener les filles à la paix intérieure que souhaite Marie, il faut entrer dans un monde imaginaire et magique, le leur. Il faut raconter des histoires, écouter les leurs, jouer avec elles. C'est ce que je ferai au fil de mes rencontres.

Il était une fois trois enfants : Rosalie, Virginie et Émilie. Trois filles dont le papa était mort. Trois filles qui tentaient désespérément de survivre… à leur façon.

Il était une fois un grand monsieur qui voulait les aider.

Alors enfant, il avait connu le décès de son propre frère. Jusqu'à la naissance de ce petit frère malade, il trônait fièrement, seul garçon, au cœur de sa famille.

Ayant perdu la première place, il avait souvent souhaité la mort de ce petit frère. Comme par magie, cet enfant mourut... à cause de sa maladie.

Tout petit, le grand monsieur s'était beaucoup isolé à la suite de ce décès. Il devint adolescent, puis adulte, avec en lui cette souffrance qu'il avait réussi à cicatriser à un âge avancé.

Un grand monsieur qui aurait eu besoin de se faire raconter de belles histoires, qui aurait eu besoin d'en parler, de pleurer, de jouer, d'exprimer, quoi!

Le grand monsieur s'en est quand même bien sorti... plus tard.

C'est maintenant à son tour de raconter, d'écouter et de jouer, pour apaiser, pour partager, pour aider.

Je n'ai pas oublié. Conscient de mes propres souvenirs d'enfant, je vais jouer, dessiner, raconter, avec Rosalie, Virginie, Émilie.

Dans les pages qui suivent sont résumées quelques heures passées avec elles, des heures qui furent parfois calmes, drôles, tristes, mais jamais inutiles ni ennuyantes. Au cœur de leur souffrance, on trouve leur ennui d'Yves, tendrement appelé «papou», la peine, la colère contre l'homme responsable de l'accident, l'impuissance et la détresse.

Chaque émotion et chaque sentiment seront explorés en temps opportun, différent pour chaque membre de la famille, dans une forme particulière. Chacune, au moment qu'elle choisira, expliquera à sa manière l'événement, affrontera ses peurs, ses limites, son goût de vengeance, son goût de tuer.

Pour les filles, souhaiter la mort de l'homme qui a causé le décès de leur père semble la seule solution. À leur âge, on ne comprend qu'une loi : «Œil pour œil, dent pour dent!» Cette violence intérieure peut faire peur à l'adulte. Pourtant, n'avons-nous pas tous un point de rupture qui peut nous faire basculer dans cet esprit de vengeance? Plutôt que de réprimer cette violence enfantine, ne vaut-il pas mieux permettre à l'enfant de l'explorer, de l'exprimer? Il peut ainsi la canaliser sans pour autant passer à l'acte.

Pour faciliter chez les enfants l'expression d'émotions parfois troublantes, j'ai donné à mon bureau des allures de salle magique. Divers objets invitent à plonger dans l'imaginaire : un Pinocchio suspendu au plafond et qui bouge au moindre courant d'air, un dragon qui flotte au-dessus d'une lumière, un petit bonhomme ailé qui s'active lorsqu'on le touche, des animaux en peluche regroupés en un tas, une poupée qui ne demande qu'à être bercée, des masques, accrochés au mur, qui font peur ou qui font rire, une maison de poupée et ses personnages, et, enfin, un coffre qui cache des secrets. Les filles de Marie exploreront tous les recoins de cet univers. Elles en feront le tour, le découvriront, se l'approprieront. En choisissant des objets, elles me guideront dans ce qui deviendra l'outil de base d'une rencontre. À moi, alors, de les inviter à jouer avec ce qui capte leur attention cette journée-là, pour leur permettre d'exprimer ce qu'elles vivent à cet instant.

Mon bureau est un lieu protégé. La porte demeure close et l'espace nous appartient. Avec les enfants, tout bruit extérieur, comme un téléphone qui sonne, peut déranger. Il suffit d'une explication : «Je n'ai pas besoin de répondre parce que j'ai un répondeur», et on reprend le jeu.

Tout est permis dans cette pièce. Il s'agit de le faire avec les bons objets. Cependant, chaque fois qu'une des fillettes frappe, déchire ou crie, je lui explique la différence entre la liberté qu'elle a dans ce bureau et celle qu'elle a ailleurs. Chez elle ou à l'école, par exemple, elle peut aussi exprimer ses émotions, mais en respectant les lieux et les personnes.

L'une d'entre elles a besoin de plus d'intimité? Une couverture, un peu de ruban adhésif et voilà, une cabane est érigée. Nous nous y réfugions souvent pour raconter des histoires.

À la fin de chaque rencontre, les filles participent à la remise en ordre de la pièce, «pour que le prochain enfant qui va venir retrouve les choses à leur place».

Voici donc quelques-uns des moments magiques que j'ai vécus avec les enfants.

Le voyage aux Bahamas

Lorsque je les rencontre la première fois, je suis ému. Elles sont si jeunes. J'ai juste le goût de les serrer dans mes bras!

Pour les apprivoiser, je leur offre des morceaux de fruits et des jus. Émilie, âgée de dix ans, est polie comme une jeune fille bien élevée, un peu timide. Elle sourit, mais parle peu. Si je lui pose une question, sa réponse est courte !

Avec Virginie, six ans, le contact est instantané et facile.

Rosalie, la plus jeune, trois ans et demi, ne parle pas… mais elle observe tout. Chaque détail de la pièce, chaque geste, chaque parole est enregistrée, y compris ce que je fais et dis. Je n'arrive pas à saisir ce qu'elle pense de moi, de cet adulte qui veut « l'aider ». Elle reste distante.

Je propose un premier jeu pour les apprivoiser, les connaître et voir comment elles perçoivent ce qui leur est arrivé. Nous commencerons donc par ce que la famille devait faire s'il n'y avait pas eu l'accident.

Elles imaginent elles-mêmes la scène : un bateau vogue vers les Bahamas. Toute la famille est à bord, y compris Yves. La vie sur le voilier prend forme. On fait la traversée vers les Bahamas. Une première île est en vue ! Tout le monde met pied à terre. Les fillettes semblent s'amuser follement. On organise même un jeu de cache-cache.

Soudain, Virginie se penche vers le dessin qu'elles ont fait et sur lequel on retrouve tous les membres de la famille. Près de la silhouette qui représente son père, elle chuchote un secret. Je lui demande si elle veut le partager avec moi. Elle s'approche et me dit à l'oreille : « Ce n'est pas vrai ! Papa n'est pas mort. »

À la fin de cette rencontre, Virginie remarque, suspendu au plafond de mon bureau, un capteur de rêve. Je lui explique qu'il s'agit d'un filet pour filtrer les rêves. Chez les Amérindiens, on considère les rêves comme des messages envoyés par les esprits. S'ils sont mauvais, ils se prennent dans le filet et disparaissent avec le soleil levant. Les bons rêves passent par le trou du centre, se réalisent et changent la destinée du rêveur.

Rosalie écoute. Je lui demande si elle veut voir le capteur de rêve de plus proche. Elle acquiesce. Je lui tends les bras et elle se laisse prendre.

En quittant le bureau, Virginie demande si le capteur fonctionne vraiment. Je lui suggère d'en construire un, pour voir.

Elle me regarde, sourit et s'en va.

Lorsque je me retrouve seul dans mon bureau, j'ai l'impression d'avoir eu un bon contact et de les avoir un peu apprivoisées. À son rendez-vous suivant, Marie me le confirme. Elle a même été surprise que Rosalie, habituellement plus distante, ait accepté de se laisser prendre. C'est encourageant ! Je me sens bien.

Au début, les rencontres avec Rosalie et Virginie se déroulent en présence de Marie. Elle est le trait d'union entre les filles et moi. Petit à petit, elles acceptent de passer une demi-heure, puis une heure, seules avec moi, selon leurs besoins.

L'accident

J'insiste pour que chaque membre de la famille me fasse le récit de ce qui leur est arrivé. C'est important. Ça me permet de constater les perceptions et les réactions de chacune par rapport à l'accident. C'est relativement facile avec Émilie et leur mère, mais beaucoup moins avec Rosalie et Virginie.

Je me suis procuré une réplique fidèle d'une ambulance, avec une sirène au son très réaliste. J'hésite un peu avant de mettre ce jouet à la disposition des enfants, craignant de les traumatiser, de déclencher des réactions qu'elles ne pourront pas supporter. Finalement, je décide que ça vaut la peine d'essayer. Outre l'ambulance, sont également disponibles une grande planche de bois, des boîtes de carton, des autos, dont l'une qui éclate sous l'impact d'un choc, de la pâte à modeler et des crayons à colorier.

Plutôt que de demander aux fillettes de raconter les événements, je leur propose de jouer à l'accident, et nous voilà tous par terre !

Immédiatement, elles s'affairent. Marie aussi participe aux préparatifs. Encore un peu réservées, les filles sont quand même curieuses et elles remarquent rapidement l'ambulance. Rosalie veut l'essayer, c'est-à-dire surtout déclencher la sirène. Les craintes que j'avais s'estompent. Personne ne panique, personne ne semble traumatisé, bien au contraire. Très vite, elles savent toutes faire fonctionner la sirène et l'actionnent à tour de rôle !

Sur une planche de bois, Rosalie recrée l'autoroute en dessinant les lignes pointillées, des arbres, etc. Tout y est. Les enfants fabriquent ensuite les personnages impliqués dans l'accident avec la pâte à modeler. Lorsqu'elles disent avoir terminé, je constate qu'un personnage a été oublié. Je leur demande si tout le monde est bien représenté et, en chœur, elles répondent «Oui». J'insiste pourtant sur le fait qu'il manque quelqu'un.

Après plus de cinq minutes de réflexion, Rosalie s'exclame : «Le monsieur qui nous a frappés!» Et elle s'empresse de le modeler.

Tout est prêt. Les automobiles et les personnages sont en position, face à face. Virginie et moi saisissons chacun une auto et recréons l'accident. Je conduis l'auto de la personne qui a causé l'accident. Je reproduis fidèlement ses déplacements. L'impact a lieu.

Rosalie, qui attendait avec l'ambulance, met aussitôt en marche la sirène et les lumières. Rapidement, elle ramasse les blessés. Mais où les transporter, où est l'hôpital?

Elles en découpent deux dans du carton : un pour quatre membres de la famille et l'autre spécifiquement pour Virginie, qui avait été transférée dans un autre hôpital. Elles dessinent les lits et y placent les personnages. Cependant, il reste le monsieur qui a causé l'accident.

Rosalie se lève alors, saisit l'auto et le monsieur qui se trouve dessus, traverse mon bureau en silence, soulève un coussin qui est appuyé contre le mur, dépose l'auto et le personnage par terre, puis replace le coussin devant l'auto en disant, d'un ton ferme : «En prison, le monsieur!»

Tout au long du jeu, Marie corrige certaines perceptions des enfants ou les aide à reconstituer d'autres aspects des événements : quels membres de la famille sont arrivés les premiers à l'hôpital, dans quel état elles étaient…

La discussion qui suit permet à chacune de se souvenir le plus fidèlement possible. Elles veulent savoir et questionnent. Les réponses ne viennent pas toutes immédiatement. Marie a elle-même des doutes sur certaines choses.

À la suite de cet exercice mouvementé, les enfants se calment. Rosalie se blottit dans les bras de sa mère, et Virginie vient s'y coller également. On reprend plus doucement le récit des événements et des suites de l'accident de manière plus détaillée, en abordant, par exemple, la présence et le rôle du reste de la famille, le moment où le décès d'Yves a été annoncé, le temps de séjour de chacune à l'hôpital. Je suis très touché et je ressens de la peine pour ces enfants qui vivent tant de souffrance. Cette scène demeure bien sûr triste, mais aussi très douce, intime et chaleureuse.

Cette reconstitution leur permet de remettre en place les événements comme ils se sont produits… ou plutôt comme elles pensent qu'ils se sont produits ! On tente de les ramener le plus près possible de la réalité.

Un peu plus tard, j'apprendrai que, dans les semaines qui ont suivi cette rencontre, Rosalie a reproduit l'accident maintes et maintes fois, non seulement seule à la maison, mais aussi avec ses amis. Lorsque ceux-ci demandaient ce qui était arrivé, plutôt que de raconter ou d'expliquer, elle les invitait à jouer à l'accident en le reproduisant avec eux.

Jouer ainsi à l'accident replonge les filles dans les souvenirs. Leur peine est vive et elles s'ennuient énormément de leur père. Un jour, Rosalie se présente à mon bureau avec l'une de ses cravates au cou et Virginie traîne un animal en peluche ayant appartenu à son père lorsqu'il était jeune. Me vient alors l'idée de la boîte à souvenirs.

La boîte à souvenirs

Se souvenir constitue une façon douce et agréable de garder l'autre présent dans ses pensées quand la douleur est encore déchirante. Pour apaiser la souffrance de Virginie et de Rosalie, il faut trouver une manière leur permettant de se souvenir avec plaisir. Je leur raconte donc l'histoire des écureuils qui, chaque automne, avant que tombent les premières neiges, ramassent des noix en prévision des fringales de l'hiver. Lorsque les grands froids sont venus et que les écureuils ont faim, ils savent où creuser pour se rassasier.

La référence aux écureuils ayant un sens pour les filles, je leur propose de construire, à la manière de ces petits animaux, une boîte pleine de souvenirs de leur père. Au moment où elles s'ennuieront le plus, comme les écureuils quand ils ont faim, elles pourront ouvrir leur boîte à souvenirs pour se rappeler Yves et leur amour pour lui.

À partir de cartons qu'elles ont apportés, les deux filles créent de magnifiques boîtes à souvenirs qu'elles décorent, chacune à sa manière, et qu'elles remplissent d'objets significatifs liés à la mémoire de leur père : cravates, photos anciennes et récentes, animaux en peluche, bonbons.

Une façon douce de se rappeler quand la peine demeure vive. Elles conservent précieusement leur boîte dans leur chambre. En fonction de leur humeur ou de l'émotion du moment, elles changent les objets.

Cette activité avec les fillettes me ramène à la cérémonie commémorative pour mon frère, où les objets prenaient valeur de symbole. Maman m'avait remis le certificat de naissance de François. Comme il est mort si jeune, je l'ai à peine connu. Recevoir son certificat de naissance des mains de ma mère, c'était reconnaître son passage sur terre. C'est une façon de me souvenir de lui et d'apaiser ma propre peine.

En créant leurs boîtes pour honorer le souvenir de leur père, les filles de Marie ont été amenées à exprimer, entre autres choses, ce qu'elles ressentaient vis-à-vis de l'homme qui a causé sa mort. Chez Rosalie, la colère et la peur ont fait surface.

La colère de Rosalie

Le dessin permettra à Rosalie de donner libre cours à des émotions et de trouver une façon de se protéger contre les personnes qui «tuent les papas». Avec elle, pas de demi-mesures, pas de nuances, pas d'excuses, pas de quartier! Bon nombre de ses dessins expriment sa colère sans ambiguïté.

Quand je lui demande où est son papa, Rosalie dessine son père au bas d'une feuille. Il a de longues jambes. Par-dessus son «papou», et sur plus du tiers de la page, elle dessine la terre sous laquelle il repose. Pour qu'il y soit à l'aise, elle ajoute un oreiller, noir, sous sa tête. Au centre de la feuille se trouve un nuage rouge : «C'est l'accident.»

Depuis qu'elle a commencé son dessin, Rosalie travaille en douceur, avec des gestes lents et appliqués. Les formes et les contours sont bien définis. Soudain, elle bouscule brusquement les crayons dans la boîte avant d'en choisir un. Elle le saisit en refermant toute sa main dessus. Elle dessine une tache avec force en haut de la feuille. Elle répète ce geste avec des crayons de différentes couleurs, cassant même quelques mines. Les couleurs sont superposées et l'on en reconnaît aucune. D'un ton fâché, elle explique : «C'est le monsieur qui a tué mon papou.»

Rosalie ajoute ensuite une forme jaune, très précise, qui a l'apparence d'une lame. «C'est le couteau avec lequel je vais tuer le monsieur.» Avec elle, l'essentiel est vite nommé. La sentence tombe : «Il doit aller en prison et je vais le tuer.»

Je n'interviens pas, m'assurant seulement qu'elle sente que j'accueille l'expression de ses sentiments.

À une autre occasion, elle dessine «le piège à monsieur qui fait du mal». Rosalie trouve ainsi une façon bien à elle de se rassurer. Pour l'homme, elle utilise du mauve, du noir et du turquoise. À côté, il y a un rectangle constitué de petits carreaux de diverses couleurs. «C'est un piège qui attrape les monsieurs qui tuent les papas et qui les met en prison», affirme-t-elle.

Lorsque je lui demande si des monsieurs gentils, passant par là, se feraient aussi attraper, elle complète spontanément son dessin. Juste au-dessus du rectangle, elle trace le contour d'une maison, à l'intérieur de laquelle elle se dessine. Dans une bulle, elle me demande d'écrire :

Ne pas tuer quelqu'un, parce qu'ils vont s'ennuyer d'eux. Parce que si deux parents sont morts, on n'aura plus de parents.

C'est l'occasion de discuter avec Rosalie de la crainte qu'elle a de perdre sa mère, un thème que nous reprendrons quand Marie fera un premier voyage sans les enfants.

Enfin, au-dessus de sa tête, dans la maison, elle dessine une immense paire de lunettes. «C'est des lunettes qui permettent de reconnaître seulement les monsieurs qui tuent des papas.» Je suis toujours un peu surpris de constater comment la plupart des enfants trouvent, dans leur imaginaire, les moyens appropriés pour se protéger. Dans le dessin de Rosalie, la bulle précise sa peur et le piège la protège. Avec les lunettes, elle tient compte de la différence existant entre les personnes bonnes et celles qui font du tort.

Voulant l'encourager à se livrer encore davantage, je lui propose un autre jeu : les phrases à compléter. On y jouera souvent. Elle adore cet exercice. Elle rit beaucoup, mais, en même temps, elle exprime ses sentiments, ses craintes et ses réactions.

Sur une feuille, je note les premiers mots d'une phrase, suivis de points de suspension. Comme Rosalie ne sait pas encore écrire, je lui lis le début de phrase, puis elle enchaîne avec ses propres idées.

Voici ce que donne le jeu, la première fois que nous y jouons : «Le soir, avant de me coucher… j'ai peur parce que j'ai peur que maman s'en aille. Si elle s'en va..., je vais pleurer, comme au moment de l'accident. Au moment de l'accident..., je n'aimais pas ça parce que j'avais un support autour du cou. Alors... j'ai appelé maman parce que je m'ennuyais d'elle. Elle n'est pas venue... parce que Virginie était trop malade. Alors... j'ai commencé à pleurer.»

À la fin du jeu, Rosalie ajoute une phrase de son cru : «Le soir en me couchant, pour ne pas avoir peur, je peux fermer les yeux et je m'endors.»

Avec ce simple jeu, Rosalie m'a ouvert de nombreuses portes en me révélant, par exemple, sa crainte de perdre sa mère, sa perception concernant l'absence de cette dernière auprès d'elle après l'accident et les moyens qu'elle prend pour combattre sa peur.

Une jeune fille réservée

Chaque membre de la famille a sa façon bien à elle de réagir au soutien que je propose. Pour Rosalie et Virginie, jouer à l'accident, dessiner, compléter des phrases crée rapidement une complicité. Avec Marie, le recours au récit, à l'expression des émotions pour comprendre les choses répond à ce qu'elle souhaite. Trouver ce qui convient à Émilie, une adolescente, s'avère beaucoup plus difficile.

Pendant les entretiens avec toute la famille, au début, elle est plutôt distante, se contentant surtout d'observer les réactions de ses sœurs. C'est à l'insistance de sa mère que nous nous rencontrons seule à seul une première fois. Le cœur n'y est pas. Au cours de la première partie de la rencontre, elle répond brièvement à mes questions. Elle parle très vite. Je la sens nerveuse. Elle se gratte les doigts sans arrêt. Je reformule les mêmes questions plusieurs fois. Je sens que je n'arrive pas à la saisir, à la rejoindre.

Compte tenu de certains de ses commentaires, je centre la deuxième partie de la rencontre sur sa relation avec sa mère. Je constate qu'elle a de la difficulté à s'entendre avec Marie. Leurs conflits touchent aussi bien l'heure à laquelle rentrer le soir que les vêtements qui traînent. À la fin, je l'invite à revenir me voir n'importe quand. Elle me gratifie d'un «oui» et d'un «merci» polis, sans plus.

Après son départ, je demeure perplexe, ne sachant trop si notre conversation lui a fait du bien. J'ai l'impression de ne pas l'avoir aidée suffisamment. En fait, cette première rencontre m'a paru tout à fait inutile pour elle. Perception personnelle et subjective, bien sûr, que je ne peux vérifier pour l'instant. Qu'importe. Nous nous reverrions plus tard.

Avec le recul, elle me fait penser… à moi. Plutôt réservée, elle répond aux questions, mais ne donne pas d'indice sur ses véritables sentiments.

L'ambulancier raconte

Les semaines passent. Marie réapprend graduellement à vivre. Elle reconstruit sa famille, sa façon de voir la vie. Pour y arriver, elle a besoin de se rappeler tous les détails du drame, particulièrement les instants qui ont suivi l'impact, mais elle a d'importants trous de mémoire. D'après elle, seul un témoin oculaire pourrait l'aider à reconstituer ces détails. Elle communique donc avec un des ambulanciers présents sur les lieux de l'accident, qui accepte de venir chez elle partager ses souvenirs.

Elle me demande si je peux assister à la soirée pour m'occuper des filles pendant qu'elle s'entretient avec l'ambulancier. Elle me parle aussi d'une bande vidéo. Le soir de l'accident, les différentes chaînes de télévision ont montré des scènes déchirantes du «carnage», ainsi que le nomme Marie. Un membre de sa famille les ayant enregistrées, elle voudrait visionner la vidéocassette avec les enfants. Au cours d'une visite à mon bureau, nous en discutons avec elles. Aucune hésitation de leur part, elles seraient prêtes tout de suite. Nous leur expliquons cependant que le visionnement aura lieu à la maison, avec l'ambulancier.

Dans les jours qui précèdent cette soirée, j'ai l'impression d'être très à l'aise vis-à-vis de cette rencontre, mais, quelques heures avant, la fébrilité monte en moi.

Comme je la reconnais, cette vieille amie! Pourtant, la victime de l'accident n'est pas quelqu'un de ma famille. Je ne la connaissais même pas! J'essaie de comprendre ce qui me rend si nerveux.

Cette fébrilité me rappelle les moments passés auprès d'une amie dans les heures qui ont suivi la mort de ses deux fils, à la suite d'un accident d'auto. Après cette expérience, je n'arrivais plus à me concentrer et j'étais fréquemment très étourdi. J'avais côtoyé un tel abîme de souffrance et un désespoir si profond que j'en restais marqué. J'ai rapidement consulté Jean Monbourquette, la personne qui m'a formé au deuil et qui, depuis, est devenu un ami.

Je lui ai fait part de mes malaises et il m'a encouragé à raconter comment j'étais intervenu auprès de cette amie. À un moment de mon récit, j'ai éclaté en sanglots, répétant constamment: «Ce n'est pas juste, ce qui lui est arrivé!» En même temps m'est apparue l'image de maman après la mort de François, son fils, mon frère. Perdre un enfant, ce n'est pas juste! J'aurais voulu consoler ma mère et la protéger de cette souffrance. J'ai alors réalisé qu'en aidant mon amie je me rachetais, en quelque sorte, de n'avoir pas pu aider ma mère. Cette prise de conscience m'a permis de parler avec maman et cette amie de ce que j'avais ressenti. Par la suite, j'ai eu l'impression d'y voir plus clair dans ma propre vie.

Le soutien apporté à mon amie, puis le recul que j'ai pris par rapport à mon travail «sur le terrain» comme psychoéducateur pendant plus de vingt ans m'ont préparé à des interventions se déroulant ailleurs que dans mon bureau. En me rendant chez Marie lors de la rencontre avec l'ambulancier, ou en accompagnant les enfants au tribunal au cours de l'enquête préliminaire, je n'ai pas eu l'impression de perdre mon objectivité. Comme je l'ai déjà mentionné, je ne crois pas qu'on soit jamais objectif. Par contre, je n'ai pas eu l'impression de perdre mes moyens ou mon attention. Bien sûr, il y a toujours un risque. L'intensité de la souffrance peut soudainement devenir intolérable. Il n'est pas dit que, dans d'autres circonstances, avec d'autres personnes, je ne puisse être atteint de façon telle que je doive moi-même aller chercher de l'aide.

Dès que j'arrive chez Marie donc, ma nervosité s'estompe. Marie attend ce moment depuis longtemps. L'ambulancier est la première personne avec qui elle a pris contact parmi celles qui se trouvaient sur les lieux de l'accident. Émilie, l'aînée, a un cours ce soir-là et se joindra à nous un peu plus tard. Chaque fille avait le choix de participer ou non à la soirée. De même, si l'une d'elles veut se retirer en cours de route, sa volonté sera respectée.

La soirée débute donc avec cinq personnes un peu anxieuses : Virginie, Rosalie, Marie, l'ambulancier et moi.

Marie s'assoit à côté de l'ambulancier et l'écoute attentivement pendant qu'il raconte ce dont il se souvient. Il donne de multiples détails sur le travail qu'il a accompli. Marie emmagasine toutes ces informations, qui lui serviront, plus tard, dans d'autres occasions de partage avec les enfants. Elle veut tout savoir, elle demande des précisions. Pendant ce temps, à la fois témoin et acteur, je m'occupe des enfants, jouant avec elles, pour permettre à Marie de se consacrer entièrement à la reconstitution des faits avec l'ambulancier.

Vient ensuite le visionnement de la vidéo. Blotties contre moi, les fillettes regardent avec attention. C'est un moment intense. Chacune se replonge dans les souvenirs pénibles de la soirée du 30 août dernier. Puis les langues se délient. Les commentaires et les questions fusent de toutes parts. «Est-ce moi, couchée par terre? Pourquoi tu as une couverture jaune sur toi, maman?»

On visionne la vidéo deux autres fois pour éclaircir de nombreux détails. À un moment, la bande se bloque dans l'appareil. Les deux filles, se disant «spécialistes des vidéos», proposent des solutions, et l'humour se mêle au dramatique. Au troisième visionnement, elles veulent s'assurer de se reconnaître, de reconnaître chaque personne, de comprendre chaque scène. Marie insiste sur un détail, puis sur un autre. On arrête la vidéo, on revient en arrière, puis on la fait redémarrer. L'ambulancier commente et apporte des précisions.

Puis, le rythme de la soirée change. Chacune semble «rassasiée». Il y a eu assez d'informations, d'images et d'émotions. La discussion se poursuit autour d'une collation. Cet instant de transition important permet de se dégager de la charge émotive liée au visionnement de la vidéocassette. Les enfants reprennent leurs jeux.

Émilie arrive plus tard dans la soirée. Elle nous rejoint autour de la table. Nous lui racontons ce que nous avons fait, ce que nous avons vu. Elle est attentive. Elle questionne. Elle ajoute quelques commentaires. Cela lui suffit.

Pour la famille, la rencontre avec l'ambulancier a permis de retrouver plusieurs morceaux de mémoire. Cette reconstruction des événements a eu lieu à un moment où chaque membre de la famille était encore sous le choc, où la détresse demeurait grande. Heureusement, un répit était en vue. Marie décrit ce qu'il a représenté pour elle.

Des vacances

Depuis la mort d'Yves, j'ai fait des gestes automatiques, j'ai mis à jour la paperasse, je me suis présentée à de multiples rendez-vous, j'ai consolé mes filles, et je me suis écroulée toutes les nuits.

Dans cet état d'épuisement, j'accepte d'aller à Disneyland, durant la période des fêtes, avec mes filles et la famille d'Yves. On me prend en charge. On m'offre une pause, dont le thème s'apparente aux plaisirs liés à l'enfance. Cette semaine de vacances a constitué une halte bienvenue. Je me suis gavée d'images légères et gaies. L'oppression que je ressentais constamment a diminué à un niveau plus supportable et j'ai puisé, dans ce temps d'arrêt, le courage nécessaire pour affronter la suite.

À l'annonce de la mort d'Yves, tout est devenu d'une lourdeur de pierre. Au cours de ces premiers mois de deuil, j'arrivais mal à différencier mes émotions; tout se confondait et m'immobilisait. Tel un territoire occupé, j'étais assiégée. Au fil des semaines, je n'ai cessé de constater l'ampleur des dégâts.

Le fait de partager des moments de plaisir avec mes enfants m'apporte une certitude sur ma propre existence : je suis bel et bien encore en vie. Durant cette semaine de vacances, je retrouve un peu d'énergie et ma respiration s'améliore. J'ai la nette sensation d'endiguer, du moins temporairement, le malheur. Je peux maintenant envisager d'entrer en contact avec toutes mes peines. Cependant, j'aurai encore besoin de beaucoup de courage pour faire face à la mort, au désastre et à la désolation qui m'habitent. Il me faut faire appel à la guerrière en moi pour mener cette bataille intérieure.

3

Période d'errance

Au retour de Disneyland, l'arrivée de l'hiver marque un changement : une période d'errance s'annonce.

Dans les mois précédents, Marie pouvait établir un lien direct entre sa souffrance et ce qui l'a déclenchée, l'accident, la mort d'Yves. Le souvenir de ces événements est si insupportable qu'elle pense ne jamais guérir. Elle pense même en mourir, malgré la présence et la compassion de ses proches.

Malgré cela, une certaine accalmie s'installe et l'intensité de la souffrance diminue. Elle peut souffler un peu. Les enfants reprennent certaines de leurs habitudes. Tous les membres de la famille redeviennent plus fonctionnels et autonomes. La vie reprend son cours. Pour Marie, le retour au travail paraît de nouveau envisageable. Les enfants sont déjà retournés à l'école. Le quotidien, même ardu, se réorganise. Les proches se sont tranquillement retirés pour laisser plus d'espace à Marie.

C'est alors que la famille entre dans une zone neutre, dans une période où rien ne semble avancer, où règne la confusion. Personne n'est convaincu de faire la bonne chose. Une journée, c'est l'espoir; le lendemain, le découragement. C'est le chaos.

Cette période, que j'appelle «l'errance», ressemble à une dérive incontrôlée qui survient subitement, sans raison apparente. Le moment à passer est déroutant mais nécessaire. Il mène à un changement profond en soi. Toutes les quatre y «traîneront» plusieurs mois.

Marie a d'abord une impression diffuse qu'elle n'arrive pas à cerner. Le lien entre ses malaises et leurs sources semble plus flou qu'avant. C'est surtout le corps qui se manifeste alors : serrements au ventre, manque d'appétit, épuisement, frissons, faiblesses dans les jambes, insomnie. En tenant compte de ces signes, on peut jauger comment évolue sa souffrance, au-delà des apparences, qui sont parfois trompeuses pour son entourage.

Marie dit qu'elle ne sent plus son corps, que c'est comme si elle était en train de mourir. Une impression de vide l'habite, accompagnée d'une envie de mourir ou de sombrer dans la folie, sans qu'elle pense pour autant au suicide. Plusieurs fois, Marie a imaginé ce vide sous la forme d'un mur flottant, noir, froid et épais qu'elle peut difficilement toucher et encore moins traverser. Dans ces instants où la notion de temps n'existe plus, seuls ses yeux expriment son désarroi. Elle fixe alors le sol avec une intensité particulière. Les mots ne sont plus nécessaires.

Ce vide laisse toute la place à l'ennui au quotidien : Marie s'ennuie du corps d'Yves, de sa tendresse, de sa présence dans le partage au jour le jour avec les enfants, de leurs activités familiales, de leurs intérêts communs. Elle a l'impression d'être renversée par une vague déferlante alors qu'elle vient tout juste de se relever à la suite d'une première vague.

Pendant cette période d'errance, Marie se sent impuissante et victime de l'homme responsable de l'accident. La colère qu'elle éprouve et son sentiment d'incapacité lui rappellent qu'elle a ressenti quelque chose de semblable à la mort de son père. Elle constate alors, au moment où elle fait le décompte des personnes significatives de sa vie, qu'elle a eu l'impression d'être abandonnée. «Parmi les personnes importantes qui sont passées dans ma vie, trois sont mortes : mon père, Marie-Geneviève et Yves. Chaque fois, j'ai eu le sentiment d'avoir été abandonnée : abandonnée comme fille, comme mère et comme femme. Ça crée un grand vide que je veux explorer.»

Marie remet tout en question. Doit-elle faire face à la réalité ou sombrer dans la folie? S'accrocher ou lâcher prise? Affronter la solitude? Elle s'interroge sur le type de travail qu'elle fait actuellement et sur le type de relation qu'elle veut entretenir avec les autres.

On pourrait comparer Marie à un capitaine de bateau qui ignore sa destination, qui ne sait même pas s'il atteindra jamais une destination. Une telle errance est affolante, mais nécessaire. Marie reconnaît maintenant, après en être sortie, que cette période a été un passage douloureux, difficile, mais utile.

Le récit de Marie, de son naufrage, nous laisse entrer dans cette errance.

Le naufrage

Dérive

Je me vois tel un bateau qui dérive après la tempête. Abîmé, sans plus personne à son bord, tout juste capable de flotter. La mort me ravage avec violence. Mon corps et ma tête sont paralysés. Je me sens vide, j'ai toujours froid.

J'entends ce qui est dit, je marche le dos voûté, je réponds aux demandes qui me sont faites, je prends mes enfants dans mes bras et, pourtant, je ne m'habite plus. Mes gestes, tout comme ma respiration, se font sans moi. Je ne vis plus, je survis.

J'erre, je me promène sans but dans la maison. Je fais le tour des pièces, je m'assois, je recommence. Rien ne rime à rien, aucun écho ne me retient. J'ai l'impression de ne pas être là, de m'être échappée. Par les gestes qu'elles me réclament, mes filles arrivent parfois à me ramener à la réalité, mais lorsqu'elles ne sont pas là, le vide me happe et m'aspire de nouveau en son sein.

La mort me garde emprisonnée. Elle me traque et me possède. Elle me rend folle. J'ai mal, mes nuits ne sont que glace et tremblements. Dans ces moments, seule la chaleur de mes larmes me raccroche à moi-même. Je suis complètement égarée, je ne sais plus ce qui me retient. Seul le désespoir résonne en moi. J'ai peur à hurler, je ne sens que les nœuds de l'abandon partout dans mon corps. Je n'ai aucun refuge, nulle part en moi où trouver l'accalmie.

La nuit, je tremble; le jour, mon passé accepte de travestir le présent. Ce sont d'anciennes références qui me font me mouvoir. Quand on ne me réclame pas de gestes automatiques, je reste là, bêtement, à me sentir convoitée par la mort. Je suis épuisée, je ne peux demeurer dans cet état lamentable, je dois affronter ma peur, elle qui occupe tout mon espace intérieur et me pulvérise.

Images

De temps en temps, j'aperçois un phare, Gilles. Puis la mer se déchaîne et une seule direction m'attire : retourner en images auprès d'Yves tel que je l'ai vu la dernière fois. Je ferme les yeux et recrée cette ultime image de lui. Tout de blanc couvert, il est couché. Je regarde d'abord son visage. Je le trouve encore beau, mais si immobile. Une balafre traverse sa joue. Je déplace mon regard sur ses cheveux, presque tous blancs. Ils étaient si doux et si souples. Je les touche. Ils le sont encore. Ils glissent entre mes doigts. Le reste est froid. Mes yeux retournent à son visage, puis à son corps. Mon regard reste fixé sur son ventre.

De cette image en émerge une autre, qui me trouble. J'y vois le reflet de ma peur. Je suis recroquevillée, habillée de noir. Seuls mon visage et mes mains ne sont pas couverts. Partout autour de moi, je perçois des espaces noirs qui bougent au vent. Tout ce que j'entends, c'est le bruit affolant de mon cœur qui bat. Ce martèlement du cœur m'envahit et me percute. Face contre terre, mes bras encerclant ma tête, je suis prisonnière de moi-même. J'ai peur. Chaque retour à cette image me ramène à ma réalité. Fois après fois, mon cœur bat à hurler. J'ai mal.

Puis cet état se modifie, se nuance. Il marque alors le début d'un film qui se joue à la vitesse où j'apprivoise ma peur et la mort. De recroquevillée que j'étais, je peux maintenant relever la tête et ouvrir les yeux. Le bruit que fait mon cœur est toujours aussi présent, très prenant, mais un tout petit espace intérieur a moins peur. Je peux regarder autour de moi. Du noir, du noir et du vent. Je sens le vent. Il ébranle mes frontières intérieures.

Je sentirai ce vent souffler sur moi autant de fois qu'il me faudra pour abdiquer. Après de nombreux essais, je réussis enfin à me lever. Tous ces espaces noirs, formés de drapés, me semblent être tout à la fois mes frontières, mes peurs et la mort envahissante. Je marche en leur direction. Il m'apparaît vital de les percer à jour. Tout en hurlant ma rage, je déchire ces murs noirs. Je lutte corps à corps avec eux pour conquérir l'espace qu'ils obstruent. Je les débusque le regard dur. Je les abats.

Quand le vent diminue, mon cœur cogne toujours; je suis debout, haletante et guerrière. La peur recule, la mort me restitue une partie de moi. Chaque combat me redonne un peu de mon espace intérieur et de mon histoire. Je suis une guerrière. Je veux reconquérir mon intérieur, mes terres occupées. Je dénoue des nœuds, je démantèle ces murs pour reprendre mon espace.

Je remonte le long des fils qui m'ont tressée depuis mon enfance, pour habiter ce vide et le faire mien.

Absence

Mes sens captent ce vide. Ce qu'ils me renvoient fait mal. C'est l'absence, l'un des plus longs fils de ma vie. Mon corps est en manque. Je ne sens plus de sexe me pénétrer ni de main glisser sur ma peau pour me prendre. La chaleur et la puissance d'un corps qui se soude au mien ne sont plus. Ce douloureux abandon du corps ouvre la porte aux absents de ma vie : mon père, ma fille, mon amant. Ma solitude d'adulte ne réclame pas les mêmes apaisements que celle de mon enfance, mais le voile que je lève sur cette blessure les fait remonter tous trois.

D'abord mon père. Il refait surface comme un noyé. J'avais treize ans quand il est mort, mais, en réalité, son absence existait bien avant. C'est maintenant que je ressens son abandon. Il est lié au désespoir qu'il avait de se savoir tout à l'alcool. Il connaissait sa dérive, elle le faisait souffrir. Je savais sa douleur et je l'ai portée des années durant comme étant son héritage, sa seule présence. Je reprends aujourd'hui ma détresse d'enfant et je lui rends son désespoir d'alcoolique. Je préfère demeurer dans mon vide plutôt que de porter cette peau d'âne qui me ramène toujours au souvenir d'un père qui n'en fut pas un.

Me revient aussi le vide ressenti à la mort de ma fille. Son absence après l'avoir portée en mon sein et l'impossibilité de la prendre dans mes bras pour me bercer avec elle m'avaient laissée ravagée. Le souvenir de cet abîme avec elle me renvoie aux gestes réconfortants d'Yves, ceux qu'il a eus pour me soutenir dans cet abandon.

Yves me manque. Au creux de ses bras, au creux de son cou, mes sens nommaient qui j'étais. Ses mains m'indiquaient mon contour. Mon écho se perd maintenant. Je deviens floue. Dans mon lit désert, je suis seule pour panser mes blessures. Pour reprendre pied, pour exister à nouveau, je dois me retrouver et me reconnaître sans les repères habituels.

La guerrière fait reculer peu à peu la peur et la mort. J'ai retrouvé une partie de mon espace intérieur, mais je ne sais qui l'habitera. Je connais celle qui y logeait dans le passé, mais elle ne répond plus à présent. Cette constatation m'accable. Je ne sais plus où trouver la force de poursuivre. Sur une mer déchaînée, je me sens couler à pic. Je vais tout perdre, abdiquer. Laisser encore la mort s'emparer de moi. La folie?

Accalmie

Cette errance m'affole. Je me relève pour apprendre à vivre en paix sans lui. Je dois créer d'autres repères. Apprivoiser celle que je suis maintenant.

Peu à peu, les actes du quotidien que j'accomplissais le cœur vide revêtent un sens. Au début, ils me dérangent et m'empêchent de me consacrer tout entière au moment présent, à ma seule douleur. Mais à les répéter, je commence à voir en eux des gestes de vie. Nourrir mes enfants, garder notre lieu de vie habitable, laver les vêtements, autant d'actions qui prennent une signification.

À travers ces répétitions, mon corps enregistre à nouveau les mouvements qui relient au quotidien. Le peu d'écho que je capte d'eux me sert de contrepoids aux absents qui m'assiègent. L'accalmie qu'ils procurent m'est bénéfique. Elle me permet de reprendre mon souffle avant qu'une autre réalité se profile à l'horizon.

Viol

Les deux phares blancs que j'ai tenté d'éviter n'étaient pas là sans raison. En état d'ébriété, un chauffard a fait demi-tour sur l'autoroute et est venu se planter sur mon chemin. C'est un face-à-face qu'il a provoqué. Je ne sais pas quoi en faire, de cet agresseur. Je ne veux pas m'approcher de ce qu'il peut me faire vivre. Alors je reste loin, suffisamment du moins pour demeurer incapable de nommer ce qu'il m'a fait. Mais l'enquête préliminaire approche. Je ne veux pas soutenir son regard, au tribunal, sans d'abord savoir où j'en suis. Il n'a manifesté aucun regret et est demeuré totalement indifférent aux conséquences de son crime. Malgré la peur qu'une déferlante s'abatte sur moi, je me résigne à entrer en contact avec ce qu'il a atteint en moi.

C'est une impuissance sourde qui m'assaille des semaines durant à la seule pensée de l'agresseur. Puis vient s'y superposer l'image de mon père. C'est vrai qu'ils ont tous deux tissé une partie de mon histoire. Mais pourquoi penser à mon père quand l'impuissance me taraude? Par-delà l'absence de ce dernier, la peau d'âne que j'ai portée a retenu nombre de mes élans. J'avais peur de la briser et de perdre définitivement mon père. Voilà ce que je ressentais enfant. Maintenant dissociée de l'agresseur, l'image de mon père retourne auprès des absents de ma vie. L'impuissance qui demeure concerne l'homme qui m'a anéantie.

Au cours d'une de nos rencontres, Gilles me propose de m'adresser à cet homme. Il est, on le suppose, assis en face de moi. En réalité, bien sûr, il n'y a qu'une chaise vide, mais je ferme les yeux et tente de l'imaginer. Mon cinéma commence. Les images se succèdent, je n'essaie pas de les arrêter.

Je marche sur le trottoir, un homme âgé vient vers moi. Il me fixe. Je l'ignore, il s'approche. Je poursuis mon chemin, il me bouscule. Je le regarde, il est sans visage. Il use de sa force et me menace. Dès lors, je sais qu'il me violera.

Plus l'issue se précise, plus je ressens physiquement, dans la réalité, les tremblements et la douleur. Ils paraissent si réels. Je suis en danger dans la sécurité du bureau.

L'homme m'entraîne loin des regards, me déshabille. Je n'arrive plus à réagir, je suis figée. Je le sens me pénétrer, s'enfoncer en moi, me marteler. Me déraciner. Je suis immobile, je ne suis qu'impuissance. Il m'arrache à moi sans que je n'y puisse rien.

Dans la réalité, cet homme m'a arraché celui auquel je tenais le plus. Il m'a pris Yves. Mes enfants étaient nos enfants. Yves est mort sans que j'aie su le protéger.

C'est un viol aussi. Cet homme m'a possédée en me percutant au volant de son véhicule. Je le hais.

Je suis recroquevillée sur ma chaise. Je respire à peine. Les larmes coulent sur mes joues. Dans ma tête, le violeur vient de repartir. Il a créé l'isolement, il peut quitter la scène. Je ramène mes jambes près de mon corps, je ramasse mes vêtements, je les colle sur moi pour cacher un peu de ma honte et je reste là, tapie avec l'immobilité de la culpabilité dans ma chair parce que je n'ai su préserver mon amour. Je reste longtemps prisonnière de cette dernière image avant d'en sortir.

La colère contre le père

Marie décrit bien comment elle vit la rencontre avec celui qu'elle appelle l'agresseur. Mais comment en est-elle arrivée là? Par quel étrange détour se retrouve-t-elle face à face avec lui? Est-il possible de lui faire dépasser cette impression de viol et de honte?

Depuis le début de nos entretiens, elle a abordé à l'occasion le sujet de l'homme responsable de l'accident. Comme l'enquête préliminaire approche, elle redoute le moment où elle se retrouvera en sa présence. Le procureur lui a confié que l'homme ne semblait avoir aucune conscience de ses torts. Il ne manifeste aucun signe de repentir. La colère de Marie se transforme en hostilité. Au-delà du geste de cet homme, c'est ce qu'il représente comme personne qu'elle rejette. On le voit bien dans ce qu'elle vient de relater. Je lui propose donc, quelques semaines avant la comparution au palais de justice, d'avoir une autre «rencontre» avec l'homme. Elle accepte, curieuse, mais aussi inquiète.

Je lui demande encore une fois d'imaginer l'homme assis devant elle, puis de lui parler à haute voix. Les minutes passent. Ses yeux sont fermés. Le silence envahit la pièce. Tout le côté gauche de son corps se met à trembler. D'abord légèrement, puis très distinctement. Elle relève ses jambes sur la chaise et se recroqueville sur elle-même. Le silence règne toujours. J'attends, une bonne dizaine de minutes.

Enfin, elle ouvre les yeux et dit : «La personne devant moi n'est pas cet homme, mais mon père.» Étonnée, elle se sent incapable de lui parler. Elle s'adresse plutôt à moi. Émergent alors son sentiment d'impuissance et sa colère vis-à-vis de l'agresseur, cause de la souffrance de ses enfants. Mais cette colère et cette impuissance se manifestent également vis-à-vis de son père. Malgré sa présence auprès d'elle pendant sa jeunesse, malgré tous les moyens qu'elle a pris pour qu'il lui montre son amour, elle ne l'a pas senti.

Les tremblements persistent. Elle demande que je la prenne dans mes bras. Je la tiens ainsi quelques instants. Elle se sent faible et s'étend par terre. Elle reste ainsi, les yeux fermés, une bonne demi-heure, au cours de laquelle les tremblements diminuent.

Lorsqu'elle ouvre les yeux, elle se met à parler de son père, de son alcoolisme. Elle raconte comment elle s'est débattue pour attirer son attention, son amour, mais sans résultat. Il continuait à boire et à ne pas répondre à son besoin d'affection. Marie fait le lien entre sa colère vis-à-vis de l'homme ayant causé l'accident et celle qu'elle ressent vis-à-vis de son père : dans les deux cas, elle la dirige contre un personnage inatteignable et irresponsable.

Fidèle à elle-même, Marie insiste pour explorer la colère et la honte qu'elle éprouve par rapport à ce père alcoolique, un père dont elle ne veut pas, dit-elle. Elle insiste aussi pour que cette exploration ne prenne pas une forme intellectuelle et réfléchie, mais qu'elle soit plutôt branchée sur ses émotions, sans trop savoir, cependant, comment y arriver. «Raconte la colère, lui dis-je. Raconte la honte.»

Elle se souvient. Elle raconte. Elle ressent cette colère et cette honte, émotivement et physiquement. Je l'invite à laisser surgir des images du passé où elle a déjà ressenti ces émotions. Quelques instants suffisent.

Elle se voit, petite fille, seule à la maison. On sonne à la porte. Elle ouvre. Son père, ensanglanté et ivre, monte péniblement l'escalier. Elle reste figée.

Je lui propose alors de prendre cette petite fille figée sur place et de l'asseoir sur elle. Ce qu'elle fait avec beaucoup de tendresse. J'assiste à la rencontre entre Marie et l'enfant. Je lui demande de bien ressentir cette enfant et ce qu'elle vient de vivre. Elle la laisse alors exprimer son impuissance, sa colère et sa honte de voir son père ainsi.

À haute voix, pendant plusieurs minutes, s'établit un dialogue très touchant et très souffrant entre Marie et la petite fille bouleversée devant l'homme ivre qu'est son père.

Lorsque l'intensité de cette rencontre diminue, j'amène Marie à reprendre la même scène, mais en imaginant que la petite fille dispose maintenant des forces et des qualités propres à elle, l'adulte. Elle laisse enfin son père s'approcher d'elle, puis le repousse et se sauve à toutes jambes.

Avant de terminer cet exercice, je demande à Marie de reprendre la petite fille sur elle et de l'incorporer en elle, en l'accueillant simplement, comme elle est. Je lui recommande de prendre tout son temps, pour bien la ressentir, avant d'ouvrir les yeux.

Marie est maintenant calme, un peu plus réconciliée et en harmonie avec elle-même.

Nous revenons ensuite sur l'homme responsable de l'accident. La sentence qu'il encourt risque de se limiter à quelques mois de prison. Pour Marie, une peine semblable ne tient pas du tout compte de la souffrance causée. Elle dirige donc sa colère contre le système pénal et la société qui «tolère» de tels gestes en ne reconnaissant pas la douleur des victimes.

Consciente que de rester coincée dans sa colère contre la société risquerait d'ajouter à sa souffrance, et pourrait même la détruire, elle cherchera à canaliser ce sentiment d'une façon plus constructive. On lui suggère, par exemple, d'utiliser les médias pour alerter le public au sujet de ce fléau que représente la conduite en état d'ébriété.

À la suite de la rencontre entre la petite fille et son père, Marie a une nouvelle perception de ce dernier et de la relation entre eux. Elle a fait des nuances et a su reconnaître qu'il y avait des zones d'amour réciproque, où son père exprimait le sien à sa manière. Tout n'était pas aussi noir qu'elle le pensait entre eux.

Ne plus être victime

Marie réussit assez facilement à définir sa colère envers une société qu'elle juge injuste. Par contre, elle ne parvient pas à exprimer ses sentiments face à l'« agresseur ». Quand elle essaie d'en parler, le scénario est toujours le même. Les signes physiques se manifestent : tremblements, repli sur elle-même, les jambes remontées dans la position du fœtus, visage tendu et grimaçant, et elle reste de longs moments silencieuse.

À quelques occasions, elle me demande : « Aide-moi », sans pour autant préciser la nature de l'aide qu'elle veut. Elle semble coincée, victime de l'homme, mais surtout d'elle-même, incapable d'agir sur les émotions qui la paralysent.

Un jour, je lui propose encore une fois d'imaginer l'homme devant elle. Même résultat : tremblements, repli, silence, etc. Je lui demande alors de se lever pour s'adresser à lui. Étant debout, elle ne peut plus se replier sur elle-même.

Pour la première fois, avec hésitation, elle s'adresse à lui à haute voix et dénonce tout le gâchis dont il est responsable. À quelques reprises, elle me demande si elle peut s'asseoir. J'aimerais lui dire oui, mais je suis conscient qu'elle risque de ne pouvoir continuer. Comme je sens qu'elle doit poursuivre, j'insiste pour qu'elle reste debout.

Elle continue donc à exprimer ce qu'elle ressent. Elle réussit à dire à l'homme, avec fermeté, ce qu'il a tué en elle et autour d'elle, comment il l'a heurtée, mais aussi comment, un jour, tout ce mal qu'il lui a fait sera bel et bien terminé.

Au bout d'une demi-heure, elle n'a plus rien à ajouter. Je l'invite alors à s'asseoir. Elle est exténuée.

Nous discutons de ce qu'elle a ressenti. Un nouveau constat s'impose : c'est la première fois, dit-elle, qu'elle se sent victime et prisonnière. Elle prend cependant conscience qu'elle a éprouvé des sentiments semblables devant l'attitude de son père, qui ne répondait pas à ses attentes en fait d'affection quand elle était toute jeune.

L'inertie de Marie me ramène à mon tour quelques années en arrière alors qu'un vieux réflexe me paralysait tout autant qu'elle. À l'occasion d'une séance de formation en programmation neurolinguistique, la thérapeute demande un volontaire pour travailler les phobies. Personne ne bouge, puis j'ose avancer que j'ai peur du sang. Je ferme les yeux et commence à décrire la drôle de sensation qui m'envahit et me paralyse, au point de perdre connaissance, au moment d'une prise de sang ou dans une conversation où l'on décrit avec insistance une blessure.

Seulement à en parler, je me sens mal. La thérapeute m'enracine dans ce malaise en m'invitant à donner des détails. Elle me demande où se loge mon malaise. Je réponds : «Dans ma tête. Je suis étourdi.» Elle me suggère d'imaginer que je respire dans ma tête. Une image vient, un *flash* : François, mon frère.

Après sa mort, ma mère avait ramené son corps sur elle, en auto, à la maison. Elle l'avait placé sur un divan, avec deux chandelles de chaque côté. C'est cette scène qui fait surface. Je pleure.

J'ai peur. Ma peur se précise. Je me sens responsable, coupable de la mort de François, parce que je l'ai souhaitée. Avant sa naissance, j'étais le seul garçon de la famille; comme il avait pris ma place, j'avais espéré qu'il disparaisse. Ensuite, pour avoir le droit de vivre, je devais garder François en moi. Perdre mon sang, c'était perdre François. Si je le perdais, je trahirais la mission que je m'étais donnée de l'« assumer » jusqu'à la fin de mes jours.

Chacun a, bien enfoui dans ses souvenirs, des circonstances où il s'est senti paralysé (à tort ou à raison), et devant lesquelles il a réagi du mieux qu'il pouvait. Pour Marie, cela concerne son père, et pour moi, mon frère. Chacun développe sa propre façon de réagir aux expériences qui l'ont marqué : inertie pour Marie, peur du sang pour moi. Ces moyens permettent de survivre. Dès lors, souvent bien inconsciemment, la personne persiste dans cette attitude de victime lorsqu'un événement actuel la replonge dans la souffrance associée à ce passé « victimisant ». Chez Marie, ce sont l'accident et l'attitude de l'homme l'ayant causé qui créent l'effet de retour en arrière.

Comprenons-nous bien : Marie est bel et bien une victime de l'accident, et moi, de la mort de mon frère. Ni elle ni moi n'avons eu de choix quant à ces événements. Notre choix, aussi minime soit-il, réside dans l'attitude à prendre devant ce qui nous arrive. Adopter celle de victime, c'est refuser tout pouvoir sur sa vie, sur le quotidien et les responsabilités qui y sont associées. C'est demeurer dans un état de passivité, avec une impression de totale impuissance. C'est refuser de mettre de côté des gains secondaires (il y en a toujours) que cet état procure.

Sortir de cet état de victime, c'est faire le lien entre ce qui arrive maintenant et le passé. C'est exprimer sa souffrance relativement à ce passé. C'est apprendre à vivre avec lui, à l'intégrer au présent. Marie a fait ce lien lorsque, dans un exercice, elle s'est retrouvée face à son père ivre au pied de l'escalier.

Émerger de cet état d'impuissance, c'est se réconcilier avec le personnage intérieur qui a été victime d'une «tragédie» dont il ne s'était encore jamais remis. Abandonner l'état de victime, c'est apprendre à vivre avec cet événement pour le restant de ses jours, c'est-à-dire ne pas l'oublier ni l'enfouir dans son inconscient comme un vieux meuble envoyé au grenier.

À l'occasion, il faut monter au grenier, trouver le vieux souvenir, ce vieux meuble caché parmi le bric-à-brac. Il faut le reconnaître, le dépoussiérer, le décaper au besoin et lui donner une couche de vernis. Bien sûr, il y a de vieux objets que nous n'aimons pas particulièrement, mais ils font partie de notre passé, de notre héritage, et il faut leur trouver une place dans la maison. Nous devons apprendre à vivre avec eux.

Laissons maintenant Marie relater un épisode libérateur.

Les éclats

Je suis couchée, il est encore très tôt le matin, les enfants dorment. L'image est là, le geste est au bout de mes doigts ; je vais casser toute ma vaisselle. Je suis surprise de cette envie si nette, ce besoin de casser, et particulièrement la vaisselle.

Je demeure un certain temps avec cette image, puis, comme un film qui se remet en marche, le mouvement reprend. Je cherche comment faire. D'abord être seule dans la maison, puis choisir la manière. J'explore. Lancer les assiettes sur le plancher de la cuisine ? Non. Ça ne me va pas. Sur le plancher de bois ? Pas certaine que la vaisselle casserait facilement. Alors la casser au marteau plutôt que de la lancer ? Voilà. Ce sera ma solution.

Je suis fébrile à l'idée de faire le geste. Répandre toute ma vaisselle sur un drap blanc et la réduire en miettes au marteau. Cette image de moi me renvoie un écho. Je ne sais pas quels mots utiliser pour le préciser, mais je sens qu'il a son importance. Je sais que j'accomplirai cet acte quand les enfants auront quitté la maison tout à l'heure.

Le moment est venu, ce n'est plus une image, mais la réalité de mes gestes ; l'action s'amorce. D'abord récupérer toute la vaisselle. Je ne veux pas qu'il reste un seul couvert. Je vide le lave-vaisselle de son contenu et je fais le tour de la maison pour m'assurer de n'avoir rien oublié.

J'installe le drap et je transporte la vaisselle par piles, telles que je les prends dans l'armoire. C'est lourd. Il faut plus d'un voyage. Mes mouvements sont rapides. Le cœur me débat. Voilà, c'est fait, j'ai réuni toutes les pièces et je les disperse sans douceur sur le drap. Il en est couvert. Des assiettes, des soucoupes, des tasses, des bols, tout y est. Les répandre sans précautions fait un bruit qui m'atteint; je ne m'y attendais pas.

Accroupie, le marteau à la main, je commence à taper, cassant les pièces de vaisselle en deux ou en trois. C'est bruyant et ça demande de me laisser aller à une certaine rage.

J'observe ce que je viens de faire, puis je m'active encore plus. C'est en miettes que je la veux, cette vaisselle. Toujours accroupie, je me déplace sur le drap et je frappe de plus belle. Quand mon bras est fatigué, j'utilise l'autre. Je casse tout, systématiquement et méthodiquement. Le bruit s'enfonce en moi comme un pieu. Ma respiration est haletante, je suis essoufflée, mais je m'arrête rarement, et seulement le temps de regarder ce tableau et de déterminer vers quel coin du drap se portera mon geste suivant. Je me déplace ainsi plusieurs fois pour réduire de plus en plus la taille des morceaux. Je la pulvérise, cette vaisselle. Je me laisse enfermer par ce bruit infernal. Il me pénètre et me tient prisonnière.

Je me protège des éclats, mais l'un d'eux réussit à se ficher dans ma main. Je le retire, puis continue. Ma main saigne. Pas à flots, mais ça coule. J'éponge. Ça persiste, je l'ignore; ça saigne toujours.

Derniers regards, derniers coups de marteau pour ne rien laisser au hasard. C'est fait, je suis à bout de souffle, épuisée, les oreilles engourdies par le bruit qui résonne encore, les bras fatigués et le sang qui coule sans cesse. Je me relève et reste plantée là. J'attends, sûrement aussi longtemps que le temps que j'ai mis à tout pulvériser. Je reste debout, les bras ballants, à regarder, cherchant peut-être à comprendre.

Puis la réponse vient. Voilà ta vie ! Ces miettes représentent ta vie ! Les larmes coulent sur mes joues. L'envie de recoller les morceaux me prend au ventre. C'est douloureux à voir et le bruit me percute encore. Il y a trop d'éclats, ils sont trop petits, ce ne sont que des miettes. Plus possible de les recoller. Je m'écroule dans un fauteuil. Je n'oppose aucune résistance, je n'érige aucune barrière. L'idée d'une vie nouvelle fait son chemin en moi.

Ma respiration se calme peu à peu bien qu'elle demeure saccadée un long moment. Mon cœur frappe lourdement dans ma poitrine.

Il me faut de la nouvelle vaisselle comme il me faut une nouvelle vie. Je dois ramasser les morceaux et poursuivre.

L'orage s'éloigne, je me remets peu à peu. Je remarque que le drap est percé en plusieurs endroits. Il me faut récupérer les éclats qui se sont réfugiés ailleurs que sur le carré blanc. Je prends mon porte-poussière et l'emplis plusieurs fois, de gestes automatiques et de miettes. Je vide le tout dans un grand sac à ordures. J'enferme les morceaux qui restent en nouant les quatre coins du drap. Ce baluchon géant, coupant, échoue lui aussi dans un sac vert. Où mettre tout ça maintenant, en attendant le ramassage des ordures? Dans le garage! Je déplace de nouveau ma vaisselle. Elle est dans un état lamentable. Elle n'existe plus, cette vaisselle. Elle est morte.

Ce geste s'avère libérateur. Un espace neuf se crée. Je constate cependant que je ne sais quoi en faire. Le temps passe et l'heure du dîner sonne. Je n'ai pas faim et, surtout, je n'ai plus de vaisselle. J'irai donc en acheter. Au moment de quitter la maison, je me rappelle que celle que je viens de casser, je l'avais achetée dans un magasin de bric-à-brac du boulevard Saint-Laurent, à Montréal, un 2 janvier pluvieux, cinq ans plus tôt. J'avais été séduite par ses motifs voyants. Un artiste connu s'était d'ailleurs procuré le même service, et nous avions tous deux éprouvé un joyeux plaisir à l'acheter. Cette vaisselle, est maintenant disparue de ma vie.

À présent, qu'est-ce qui me guidera pour acheter de la vaisselle neuve? Je me rappelle une couleur et un motif aperçus au vol dans une vitrine. Ce souvenir est agréable. Je veux retrouver cette vaisselle. Par bonheur, elle est toujours sur les tablettes du magasin et le jeu des couleurs me séduit encore. J'achète; tout et tout de suite.

Je reviens chez moi les bras chargés d'une nouvelle vie que je déballe à l'instant. Je veux vite la découvrir. Il faut ensuite enlever les étiquettes collées sur toutes les pièces. Quelle merde, cette colle! Comme une forcenée, je m'applique : eau chaude, savon, laine d'acier... Un service pour dix, ça fait beaucoup d'étiquettes à retirer.

Comme une enragée, je m'accroche. Si je veux servir ce soir le repas de mes filles dans des assiettes, il me faut terminer cette corvée. La vaisselle, c'est le quotidien, c'est se nourrir, c'est méditer, c'est rigoler aussi. La vaisselle donne envie de déguster ou tient compagnie quand on se nourrit. Enfin j'y suis arrivée. Je peux maintenant laver le service et le ranger. Je pourrai servir le souper et faire une surprise aux filles.

Je m'étonne de constater comment la vie recommence à se faire sentir en moi. Depuis la mort d'Yves, je reconnais bien les émotions que suscitent sa perte. Ce sont les émotions qu'appelle la mort. Mais, en même temps, la vie revient, goutte à goutte. Au début, je ne la percevais pas en moi, rien que chez les autres. Puis soudain, j'ai eu le goût de faire l'amour. Dans mon corps encore tout meurtri, ce désir monte comme une bulle à la surface de l'eau, puis éclate, sans laisser d'autres traces qu'une image furtive. Peu à peu, mes sens saisissent autre chose que la douleur. Des bouffées d'air gai me sont offertes. Les respirer, c'est sentir mon désir se dissocier du souvenir d'Yves et commencer à passer au présent.

Décrocher ou continuer?

Avril, environ huit mois après l'accident. Parfois, Marie a envie de décrocher, de rompre le contact avec la réalité pour faire diminuer sa souffrance. Mais en même temps, le goût de vivre et de se battre se manifeste continuellement. Au cours d'une séance, je lui propose d'explorer cette ambivalence.

Je lui demande de placer ses deux mains sur ses cuisses et d'associer son envie de décrocher à la main de son choix et son goût de vivre à l'autre. Je l'invite ensuite à me présenter ces deux options devant lesquelles elle hésite. Chaque fois qu'elle parlera d'un des deux choix, elle devra lever la main correspondante à la hauteur de ses yeux et la regarder en me parlant.

Commence alors un ballet de gestes, de paroles, de regards, un va-et-vient entre les avantages et les inconvénients de décrocher et ceux qui sont liés à l'option de se battre. À un certain moment, tout s'embrouille et s'entrecroise. Elle n'est plus sûre de rien. Elle mélange les avantages et les inconvénients de l'un et l'autre choix.

Elle vient de constater que deux pôles d'attraction se font la lutte en elle. Je l'invite à rester ouverte à une troisième option, encore inconnue, qui lui permettrait à la fois de ne plus souffrir et de vivre à nouveau.

La semaine suivante, Marie souligne à quel point cet exercice l'a apaisée. Puis, un mois plus tard, au cours d'une séance avec les enfants, elle exprime à ses trois filles le choix qu'elle a effectué de vivre avec elles, bien branchée sur la vie.

Je crois que le fait d'avoir osé briser la vaisselle, et d'être allée jusqu'au fond du vide, quelque temps auparavant, l'a aidée à mettre fin à son ambivalence et à choisir la vie.

Les montagnes russes

Marie n'a pas pour autant fait son choix facilement. Pendant plusieurs mois, son ambivalence se manifeste presque quotidiennement. Une minute, Marie veut s'accrocher à Yves, puis le moment d'après, lâcher prise comme si elle sautait d'un creux à l'autre dans la souffrance qui l'habite. Puis, lentement, graduellement, elle connaît quelques instants où elle sent moins sa souffrance. Quelques instants pendant lesquels elle pense à autre chose, parfois quelque chose de banal, mais qui lui accorde un répit.

Puis voilà un nouveau creux, encore une fois la déprime. Tout redevient noir. Tout est à reprendre à zéro. Elle a l'impression qu'elle ne pourra plus jamais se sortir la tête de l'eau.

L'accalmie aussi revient, et elle dure un peu plus longtemps, cette fois. Marie jouit de quelques jours de répit, elle ressent même un certain bien-être. Elle espère que le va-et-vient est terminé. Mais ça recommence !

Elle trouve très difficile de replonger ainsi dans la noirceur et de devoir *encore* mobiliser ses ressources pour tenter de nouveau de s'en sortir. Elle se demande si elle en aura jamais fini de ces montagnes russes.

Voici comment elle perçoit cette période de montées et de descentes. Après l'accident, une seule chose existe pour elle : la disparition d'Yves et toute la souffrance qu'elle amène. Ça l'enveloppe complètement. Lorsqu'elle se trouve au plus bas de la pente, elle est refermée sur elle-même, isolée. Le reste autour d'elle importe peu. Elle veut ressentir et comprendre ce qui lui arrive. Toute son énergie se concentre là-dessus. C'est comme si elle se coupait du reste du monde. Cela peut durer plusieurs semaines.

Après un certain temps, elle a l'impression d'avoir intégré une partie de sa souffrance. Alors, elle accepte d'agrandir sa bulle. Elle laisse entrer ses enfants. Mais le seul fait de partager ces instants avec ses filles remet à vif sa plaie, et sa douleur revient, aussi intense qu'au début. Elle ne sait plus où chercher l'énergie nécessaire pour affronter la présence, les questions et la peine de ses enfants. Elle a l'impression de régresser.

À sa grande surprise, cependant, cet état de souffrance dure moins longtemps. Graduellement, cette bordure additionnelle s'intègre en elle. La vie devient de nouveau possible et, après un certain temps, elle élargit encore le cercle : elle s'ouvre à sa famille.

Le même phénomène se produit. Sa souffrance est réactivée. Elle la ressent encore vivement, mais moins que la dernière fois. Néanmoins, elle doit encore puiser dans ses réserves. C'est décourageant, mais elle continue d'élargir son cercle. Au tour des amis, puis du travail, puis d'un autre homme d'en faire partie, toujours selon le même processus.

Marie l'a enfin compris, ce processus. Chaque fois que sa douleur s'atténue, elle a l'impression que c'est définitif. Et pourtant, chaque fois le travail est à refaire. C'est à la fois difficile, agréable et triste. Difficile parce qu'il faut replonger dans la souffrance. Agréable parce qu'elle s'aperçoit, d'une fois à l'autre, que la douleur devient moins intense et dure moins longtemps. Triste, enfin, parce qu'en élargissant son champ de relations, elle a l'impression de s'éloigner de son centre, de s'éloigner plus définitivement d'Yves.

Cette période d'errance se caractérise aussi par une conscience aiguë de la solitude. Marie a l'impression que cette sensation de solitude ne la quittera pas pour des années à venir : solitude avec les enfants, dans le quotidien, dans ses loisirs, pendant ses nuits; solitude dans tout, pour toujours. De penser que sa vie ne sera plus jamais pareille lui devient intolérable.

Une telle période d'errance est également éprouvante physiquement. On n'a plus d'énergie, malgré le désir d'avancer. On a l'impression de s'effondrer partout. On ne sent plus son corps et on ne sait pas comment on va réussir à retrouver une certaine forme d'énergie.

Durant ce temps d'incertitude, on a l'impression que jamais on n'obtiendra de réponses à des questions comme les suivantes : «Serai-je capable de reprendre le même travail? Serai-je capable de vivre? Serai-je capable d'avoir une relation significative avec un autre homme? Que vont devenir mes relations avec mes enfants? Ma haine vis-à-vis de l'homme qui a tué mon compagnon demeurera-t-elle toujours en moi? Qu'est-ce qui me sera possible de réaliser dans la vie?»

Marie ne supporte pas le manque de réponses à ses questions. Elle veut réagir.

4

Mouvement

Les membres de la famille n'ont jamais cessé de lutter pour survivre à la peine, à la colère et à l'impuissance. Marie et ses filles ont été les victimes d'un accident, mais l'attitude qu'elles ont adoptée n'en est pas une de victime. Bien que le trajet emprunté diffère, chacune d'elles veut avant tout reconstruire sa vie. Les moyens utilisés par l'une ou par l'autre varient selon la nature et la personnalité de chacune, comme nous le verrons dans ce chapitre.

La perte d'appétit

Comment faire préciser et exprimer à Virginie ce qu'elle ressent par rapport au responsable de l'accident ? Comment lui permettre de faire face à la colère et à la peine qui l'habitent, et l'aider à trouver des solutions pour les dépasser ?

J'avais été frappé lorsque, à la fin du jeu au cours duquel, avec les filles, nous avions imaginé un bateau voguant vers les Bahamas, elle m'avait chuchoté à l'oreille : «Ce n'est pas vrai! Papa n'est pas mort.» Si elle n'arrive pas à reconnaître la mort de son père, quels autres sentiments se cachent en elle? me suis-je dit. Pourtant, elle donnait l'impression d'une enfant enjouée, attachante et rieuse qui ne semblait pas trop perturbée par les événements.

Dans les mois qui ont suivi, j'ai surtout voulu lui faire reconstituer le fil des événements : l'accident, le séjour à l'hôpital... Après, seulement, il serait possible d'amorcer un travail pour l'amener à exprimer ce qu'elle ressent. Mais comment?

Avant tout, je dois m'assurer qu'elle comprend bien ce qu'est un sentiment. À la question : «Comment te sens-tu, dans ton cœur, quand tu penses à ton papa?», elle me répond : «Triste!» Virginie dresse ensuite une liste de plusieurs manifestations d'émotions ou sentiments qu'elle a déjà ressentis «dans son cœur», au cours de sa vie : «Tristesse, ennui, joie, s'amuser, colère, peine, pleurer, mélangée.»

Sa mère, encore présente à nos rencontres à ce moment-là, dresse sa propre liste. C'est stimulant pour Virginie de voir qu'elle participe aussi.

Je lui propose de choisir une couleur pour représenter chaque émotion. Elle sélectionne avec soin des couleurs vives. Je lui demande ensuite, parmi tous ces sentiments, lesquels sont encore présents dans son cœur quand elle pense à l'accident et à la mort de son père. Elle les souligne.

Je lui demande alors de dessiner un grand cercle et de le remplir à l'aide des couleurs correspondant aux émotions : «Si l'ennui prend beaucoup de place dans ton cœur, mets beaucoup de sa couleur. Sinon, mets-en juste un peu.»

L'«ennui» occupe un quart du cercle. «Pleurer», «tristesse», «peine» et «mélangée» occupent le reste de la forme, à peu près à parts égales. Avec ce cercle colorié (qu'on appelle un mandala), Virginie nomme et extériorise ce qu'elle ressent. On pourra maintenant l'approfondir.

Une chose m'intrigue, cependant. Virginie n'a pas du tout représenté la colère dans son cercle. Je prends même le temps de lui demander si elle est présente quelque part. Elle me répond aussitôt : «Non!» J'ai de la difficulté à croire qu'elle ne ressente aucune colère. Est-ce ma propre projection? Pourtant, elle est bien présente chez Rosalie et chez Marie. J'essaie de trouver un autre moyen pour vérifier s'il y a de la colère en Virginie. Je lui propose mon jeu de devinettes.

J'attire son attention sur le dessin d'un personnage que je viens à l'instant de réaliser. Mesurant presque un mètre de haut, il représente Virginie. Au centre de la poitrine, j'ai dessiné un très grand cœur. À côté de la tête, j'ai ajouté une bulle pour les pensées.

Je demande à Virginie de deviner qui est ce personnage. Elle hésite, grimace, et finalement avance timidement : «C'est moi?» Je lui confirme que oui. Trouvant sans doute que le dessin n'est pas très ressemblant, elle y ajoute de la couleur et des détails qui lui permettent de se reconnaître.

Je place dans la bulle du personnage, un à la fois, les mots suivants : «papa», «école», «mort» et «monsieur qui a tué ton papa». Je suggère à Virginie d'y associer un sentiment, un carton de couleur et un animal en peluche parmi tous ceux qu'elle aperçoit dans mon bureau, et de les placer sur le cœur de la petite fille. Tout se déroule bien. Virginie s'active avec enthousiasme et éprouve même du plaisir.

Vient le moment où je place le dernier groupe de mots dans la bulle : «monsieur qui a tué ton papa». Elle saisit alors un grand carton rouge, le dépose sur le cœur et y empile tous les animaux en peluche. Puis, elle saute dessus à pieds joints pendant plusieurs minutes. Je l'encourage à frapper sur les jouets, ce qu'elle fait jusqu'à épuisement.

Je suis remué par cette explosion de colère et de violence. Moi aussi, j'aurais aimé pouvoir exprimer ma rage après la mort de mon frère François. Mais à cette époque, ça ne se faisait pas, et j'ai dû apprendre à me débrouiller avec mes propres émotions.

Pour la première fois, Virginie s'est permis d'exprimer sa révolte. Elle est épuisée, essoufflée. Je la prends près de moi et lui demande si elle est très en colère contre ce monsieur. Elle me dit que oui. Lorsque je lui demande pourquoi elle n'en parle jamais, elle répond : «Parce que je ne veux pas faire de la peine à ma mère.»

Elle refoule sa colère, pourtant bien présente «dans son cœur», pour protéger sa mère, qu'elle sait très souffrante. Combien de fois ai-je entendu une telle phrase de la part d'enfants souhaitant ménager leurs parents !

Voulant laisser cette émotion s'exprimer, j'invite Virginie à dessiner comment elle se sent dans son cœur quand elle est en colère. La magie du dessin la transforme. Virginie est dans son monde ! Dans son élément! L'artiste se met en branle. Elle trace deux gros nuages noirs d'où sortent deux éclairs jaunes. Je dois deviner ce que ça représente. Je feins l'hésitation. «La colère, peut-être?» Virginie confirme. Puis, un peu partout, elle ajoute des petits points noirs. Elle lève la tête et attend ma réponse. Ça se complique! «Ça, c'est de la peine.» J'ai encore réussi le test.

Puis, de haut en bas, elle trace deux longues lignes couleur chair, croisées par de petites lignes horizontales de la même couleur. Elle me regarde et attend... Je suis perplexe. Je n'ai pas la moindre idée du rôle que jouent ces lignes. Je donne ma langue au chat. «Niaiseux! s'exclame-t-elle. Ce sont mes côtes! Tu m'as demandé comment je me sentais dans mon cœur. Eh bien, où il est mon cœur?» demande-t-elle en pointant le doigt sur sa poitrine. Comme quoi les enfants sont d'une logique souvent surprenante pour l'adulte!

Lorsque sa mère se joint à nous, Virginie lui exprime ce qu'elle ressent et pourquoi elle ne lui en a jamais parlé. Marie écoute sa fille avec tendresse. Elle lui explique qu'elle peut lui confier ses sentiments en tout temps.

La colère a été nommée, dessinée, exprimée, racontée. Ça confirme mes doutes. Je me sens fier d'avoir trouvé une manière de la lui faire exprimer. Je suis heureux qu'elle y soit parvenue. C'est le moment maintenant d'évaluer la place que prend cette colère en elle. Que peut-elle en faire et comment pourrait-elle l'apprivoiser? Comment puis-je l'aider à vivre avec ce sentiment? Sa mère m'ouvre une porte inattendue. Elle m'informe que Virginie a perdu l'appétit et ne mange presque plus. Ça l'inquiète.

J'ai l'impression que Virginie retourne sa colère contre elle-même en se privant de nourriture. Cette attitude n'est pas consciente de sa part. C'est beaucoup plus subtil… Comment l'aider à se libérer de cette colère ? Je lui demande de me dessiner ce qui se passe dans son corps quand elle n'a pas faim.

Elle dessine de nouveau deux nuages et deux éclairs, plus petits que les précédents. La cage thoracique est bien représentée. Ensuite, au bas de la feuille, elle dessine deux personnages. À côté de l'un d'eux, son père, elle met un point d'interrogation : « Il est surpris d'être mort, frappé par le monsieur. » Face à son père, un petit bonhomme tout vert, transpercé par un éclair noir, représente l'homme responsable de l'accident.

« Tu sais, Gilles, m'explique-t-elle, le monsieur qui a tué mon papa prend toute la place dans mon corps. Il ne reste plus d'espace pour la nourriture. » Lorsque je lui demande ce qui pourrait l'aider à reprendre goût à manger, elle répond qu'il faudrait faire rapetisser le monsieur. Je l'invite donc à trouver un moyen pour y arriver. Elle dessine alors un tube digestif rempli de bons fruits et de bons légumes frais. Bien au bas de la feuille, nous retrouvons le monsieur qui a tué son papa, mais il est devenu tout petit. « Si je mange de la bonne nourriture, le monsieur va devenir tout petit en moi et il n'aura plus de place. »

Il ne reste plus qu'à le faire disparaître. C'est à Virginie, encore, de choisir la façon de s'en débarrasser. Elle me regarde avec ses yeux vifs et un sourire complice. Nous nous comprenons vite, et on peut certainement imaginer sa solution : « Par un gros caca ! »

À la suite de cet exercice, Virginie devient en mesure de réagir à sa colère contre le monsieur envahissant. Elle n'est plus une victime et elle retrouve son pouvoir. Elle se met en mouvement. Elle a graduellement retrouvé l'appétit, puisqu'elle pouvait combattre. Au fil de nos rencontres, les personnages de son père et du monsieur sont revenus dans d'autres dessins. Elle avait un adversaire à imaginer, à dessiner. Elle a trouvé le moyen d'exprimer et d'affronter sa souffrance.

Je me rappelle un autre dessin où Virginie avait représenté son père pendu. À côté de lui, elle s'était dessinée tentant, avec une grosse main, de l'atteindre. «C'est moi qui veut aller le rejoindre, mais je ne peux pas. Il y a une grosse vitre qui nous sépare.» Comme il lui est difficile de se détacher de son père ! Elle voudrait tellement qu'il revienne sur terre (vers la fin de nos rencontres, elle formulera clairement ce souhait dans un journal qu'elle commencera à tenir).

Comme les adultes, les enfants vivant un deuil traversent aussi une période d'errance. À ce stade, ils me font souvent part de leur envie de mourir pour aller rejoindre la personne qu'ils aiment. Pour exprimer leurs sentiments, le dessin s'avère magique. Je n'essaie cependant pas d'interpréter leurs dessins, mais plutôt de développer une complicité avec les enfants. C'est ainsi que je peux arriver à découvrir ce qui se cache en eux.

Avec Virginie, parfois j'y arrive, et parfois elle trouve mes réponses «bêtes», «débiles». Alors, elle m'explique elle-même le sens de ses dessins, par exemple dans le cas de sa colère refoulée, de son manque d'appétit lié au monsieur qui prenait toute la place dans son cœur.

Chez Rosalie, l'expression des sentiments demeure beaucoup plus difficile.

Rosalie, prisonnière d'une perception

Pendant le visionnement de la vidéo avec l'ambulancier, impressionné par ces images troublantes, je n'avais pas porté attention à tous les détails concernant chaque enfant. Un an plus tard, en regardant de nouveau la vidéo avec toute la famille, je comprendrai mieux certains comportements de Rosalie.

En effet, depuis quelque temps, Marie me mentionne comment Rosalie reste constamment «collée» à elle. Elle refuse de participer à des activités sans sa mère. Si Marie s'absente, elle la réclame en pleurant. De plus, il lui arrive de chercher à provoquer Virginie, entre autres en se plaçant dans son champ de vision au moment où celle-ci regarde une émission de télé, ce qui, selon Marie, n'est pas dans ses habitudes.

Au cours de la soirée où nous revisionnons la vidéo, Rosalie insiste pour qu'on revienne plusieurs fois sur un passage très particulier. La scène est difficile à supporter. Étendue sur une civière avec une minerve autour du cou, Rosalie hurle : «Maman!» À cet instant précis, Rosalie pose brusquement sa main sur sa bouche.

En revoyant cette scène, en observant la réaction de Rosalie et en tenant compte des remarques que Marie m'a faites dernièrement, j'ébauche l'hypothèse suivante : Rosalie a appelé sa mère à son chevet au moment de l'accident, mais celle-ci n'étant pas venue, pas question, maintenant, de la quitter d'une semelle. Je veux vérifier cette hypothèse, que sa mère trouve plausible, et surtout aider Rosalie à se défaire de sa crainte de s'éloigner d'elle.

J'élabore le scénario suivant. J'inviterai Rosalie à rejouer la scène qui la trouble tant. Elle a déjà participé activement à la reconstitution de l'accident et acceptera sans doute de «jouer» encore une fois. Au moment où elle sera couchée par terre en hurlant «Maman!», Marie viendra la prendre dans ses bras, question de faire contrepoids au fait qu'elle n'ait pas répondu à son appel le soir de l'accident. J'espère ainsi amener Rosalie à moins recourir au réflexe compensatoire qu'elle a développé.

Rosalie se présente donc à mon bureau avec la minerve qu'on lui avait placée autour du cou après l'accident et qu'elle a conservée. Sûr de mon coup et confiant de sa participation, je lui propose de jouer la scène. Elle refuse pourtant, et de façon catégorique.

Je suis désarmé et surpris par la fermeté de son refus, mais je ne peux pas laisser passer une telle occasion. Rapidement, je m'ajuste. Je lui demande si elle veut quand même qu'on joue en se servant des animaux en peluche comme personnages. Cela, elle l'accepte. Il lui est difficile de revivre sa terreur, sinon par l'entremise des animaux en peluche. Tous les membres de la famille sont représentés. Rosalie, sa mère et moi manipulons les animaux. Rosalie est le maître du jeu. C'est elle qui nous indique quoi faire, comment nous déplacer et quoi dire.

À un moment, elle précise : «Lorsque je criais, maman n'est pas venue me voir parce qu'elle s'occupait de Virginie qui, elle, était beaucoup plus blessée que moi.» Son raisonnement me surprend, mais il explique son agressivité vis-à-vis de sa sœur.

On arrête le jeu et Marie corrige sa perception. Elle ne s'occupait pas de Virginie. Blessée elle-même, elle était transportée à l'hôpital. Rosalie écoute attentivement. Je ne suis pas certain de ce qu'elle comprend. Je lui fais répéter les explications. Ça semble clair.

Pourtant, quelques semaines plus tard, à l'occasion d'une discussion en famille, Rosalie donne la même version, comme quoi sa mère s'occupait de Virginie qui était plus blessée. Il faut présenter et corriger les faits tels qu'ils se sont produits. Avec les enfants, il ne faut jamais tenir pour acquis que tout est compris dès la première fois.

La semaine suivante, en entrant dans mon bureau, Rosalie se dirige directement, en silence, vers mes babouchkas, ces poupées russes emboîtées les unes dans les autres. Elle s'assoit par terre et les démonte et les rassemble plusieurs fois. Je la regarde sans trop savoir comment profiter de cet instant, puis je m'approche, m'assoit à ses côtés et lui explique : «Tu sais, Rosalie, toutes ses petites poupées sont de petites Rosalie. La plus grosse, c'est la Rosalie que je vois. Les autres sont des petites Rosalie à l'intérieur de la grande. La grande ne voulait pas jouer à l'accident et les petites savent pourquoi.»

Nous cherchons la plus petite Rosalie, la dernière poupée, à laquelle je demande si elle sait pourquoi la grande Rosalie ne veut pas jouer à l'accident. Elle me répond, par l'entremise de la vraie Rosalie qui prend alors une toute petite voix : «Elle n'aime pas ça! Ça prend beaucoup de courage pour faire ça.»

J'ai gardé la fameuse minerve plusieurs semaines dans mon bureau, en offrant régulièrement à Rosalie de reprendre la scène, mais sans succès. Le jeu avec les animaux en peluche a-t-il été suffisant pour dénouer son angoisse? L'attitude de Rosalie vis-à-vis de Virginie est-elle directement liée à cette scène, ou est-ce une simple coïncidence? Je ne le sais trop. Quoi qu'il en soit, il fallait corriger sa perception des faits.

L'important, c'était de lui avoir offert un choix quant à la reconstitution de la scène, un choix qu'elle pouvait refuser définitivement ou accepter un jour. Ce jour se présentera presque deux ans plus tard.

Émilie affronte Marie

Émilie, à onze ans, est au seuil de l'adolescence. J'ai l'impression d'être exclu de son monde. Ses visites à mon bureau ne sont qu'occasionnelles. À notre première rencontre, nous parlons brièvement de la mort de son père, puis plus jamais il n'en sera question.

C'est à l'insistance de sa mère qu'on se voit à trois. Émilie conteste son autorité et aimerait avoir son mot à dire concernant les règles et les permissions. Il est donc question de ses droits et de ses responsabilités quant aux sujets suivants : budget personnel, achat de vêtements, tâches à la maison, amis, sorties, heures de rentrée, etc.

La confrontation mère-fille suscite beaucoup d'agressivité entre l'une et l'autre. Émilie se sent lésée. Marie a l'impression de perdre ce qui lui reste de pouvoir sur sa fille et ne sait trop quelle attitude adopter.

Les discussions dans mon bureau permettent à Marie de découvrir Émilie sous un autre angle, et de lâcher du lest, graduellement. Marie veut, contrairement à son père, réagir. Par contre, au-delà des assouplissements qu'elle est prête à faire, elle est déterminée à demeurer le capitaine à bord : «C'est à moi de décider du port où l'on accostera. J'accepte de faire des compromis avec Émilie, mais, sur les valeurs fondamentales, je vais affirmer mes croyances et rien ne me fera changer d'idée. Plus tard, elle pourra toujours choisir autre chose.»

Parallèlement à leurs affrontements, Marie et Émilie ont des discussions intimes, douces et touchantes à la maison. Émilie cherche à se définir tant en affrontant sa mère qu'en gardant un contact intime avec elle.

Au-delà de mes courtes interventions, seul avec elle ou en compagnie de sa mère, il m'est difficile de parler d'Émilie. Je la perçois distante. Nos échanges demeurent brefs. Ils ressemblent à un jeu de questions et de réponses. Émilie parle si vite qu'il m'arrive d'avoir de la difficulté à la comprendre. Elle ne veut pas partager avec moi ce qu'elle a vécu dans le drame, bien qu'elle le fasse avec ses amis et sa mère. Mon aide ne peut donc être que très limitée. Plus tard, à un moment plus difficile de sa vie, peut-être devra-t-elle replonger dans ce deuil…

J'aurais sans doute pu aider Émilie davantage si j'avais organisé des activités concrètes sur le thème de l'accident ou de la mort, avec elle et ses amis, plutôt que de m'en tenir à une conversation à deux. Je ne sais pas si elle aurait accepté, mais je n'ai pas eu le réflexe de lui proposer cette façon de faire. Le thérapeute de bureau avait mis de côté sa longue expérience de psychoéducateur auprès d'ados en centre d'accueil. J'apprends encore…

La seule fois où Émilie a démontré plus d'enthousiasme, ce fut à l'occasion d'une exposition à son école. Elle avait alors pris le temps de m'expliquer, de me faire voir ce qu'elle avait préparé et de me faire visiter l'ensemble de l'exposition.

Jamais elle n'a refusé de venir à mon bureau avec les autres membres de la famille, ou seule avec sa mère quand celle-ci l'y a invitée. J'ose espérer qu'elle a su se servir de ce que je lui ai offert. J'ose croire qu'elle n'avait pas les mêmes besoins que le reste de la famille et qu'elle a su trouver ailleurs les ressources dont elle avait besoin.

Émilie est un bon «maître» pour moi. Elle me rappelle qu'il y a une limite à l'aide que je peux apporter. Par ailleurs, peut-être qu'au moment où je m'y attendrai le moins elle s'ouvrira.

Trouver des solutions en famille

Parfois, il faut rassembler tout l'équipage sur le pont, c'est-à-dire avoir des rencontres avec toute la famille. Elles font souvent suite au climat de tension et d'agressivité qui se manifeste directement entre les filles, ou qui passe par l'impatience de la mère, coincée entre sa compréhension de ce qu'elles vivent et ses propres limites lorsque ses enfants «dépassent les bornes». Dans ces circonstances, Marie prend du recul, se ménage des moments d'intimité pour pouvoir refaire le plein avant de replonger dans la vie familiale. À l'occasion, cependant, il importe de crever l'abcès ensemble.

Au cours de telles rencontres, les thèmes abordés sont variés : l'agressivité manifestée, le partage des tâches quotidiennes, les conflits quant à savoir qui aura la priorité dans le choix d'un programme de télé… Tout peut devenir prétexte à créer l'explosion. À titre d'exemple, voici comment s'est déroulée une des discussions en famille.

Nous sommes à quelques semaines de la première comparution au palais de justice de l'homme responsable de l'accident. Marie doit témoigner et les enfants veulent être présentes «pour voir le monsieur qui a tué notre papa».

Le début de l'entretien familial est plutôt houleux. Chacune parle plus fort et plus vite que l'autre. Je sens beaucoup de tension. Je demande aux enfants si elles savent pour quelles raisons tout le monde est réuni. Chacune avance une réponse. Marie se dit exaspérée. Elle déplore l'agressivité verbale qui empoisonne le climat à la maison. Elle reconnaît elle-même être sur les dents. «C'est l'enfer! J'en peux plus! C'est assez! Il faut que ça arrête! On est en train de grimper dans les rideaux!»

Elle rappelle plusieurs situations aux enfants, qui les reconnaissent très rapidement. Voilà! C'est nommé et reconnu par tout le monde. Maintenant, il s'agit de cerner les sources de cette tension, de déterminer pourquoi il y a tant de querelles entre elles à ce moment-ci.

La mère rappelle aux filles que bientôt elles feront face à l'homme à qui elles en veulent tant. Elle se demande si l'agressivité qui se manifeste entre elles ne pourrait pas être déclenchée par ce fait. Peut-être est-ce leur colère contre lui qui s'exprime dans leurs comportements plus violents. «Comme on ne peut pas engueuler cet homme, on le fait entre nous. Ça soulage.»

Les enfants confirment cette interprétation lorsqu'on aborde directement les sentiments liés à l'homme. Jusqu'alors, personne n'avait réalisé ce qui se produisait. Les attitudes conflictuelles ayant été définies et les origines du problème, cernées, la famille s'interroge ensuite sur ce qu'il faut faire.

Le ton a changé, il n'est plus arrogant. Chacune laisse parler l'autre. Le rythme de la discussion aussi a changé. Tout le monde est à la recherche de moyens. L'esprit n'est plus au blâme. Le débat devient vif, animé et parfois même confus! Qu'importe. Ça bouge!

Chacune y va de sa solution : «On se retire dans nos chambres jusqu'à ce qu'on se soit calmées; on accroche un carton rouge ou vert à la porte de notre chambre selon qu'on veut être seule ou qu'on accepte de la visite; on s'en reparle.»

La famille retient un certain nombre de moyens suggérés, que chacune s'engage à utiliser. Bien sûr, ça n'a pas toujours fonctionné comme prévu, ce qui est dans la nature même de la vie familiale. L'important réside dans l'approche, c'est-à-dire aborder le problème familial «en famille», chercher à comprendre pourquoi il se manifeste maintenant, en prendre conscience, permettre à chacune d'exprimer ce qu'elle ressent, mettre tout le monde à contribution quant aux moyens à trouver, puis faire une évaluation des résultats quelque temps après. La résolution du problème, du conflit, s'avère beaucoup plus rapide et efficace si l'on y travaille ensemble. Par la même occasion, les enfants apprennent à s'exprimer, à comprendre et à s'impliquer davantage.

Les moments qui regroupent toute la famille ne sont pas toujours conflictuels, bien au contraire. Je me souviens du récit de l'enterrement des cendres d'Yves, de la journée où la famille a souligné son anniversaire de naissance, de la comparution au palais de justice, du voyage à Disneyland, de la rencontre avec l'ambulancier. Tous les gestes de guérison portent fruits. La souffrance diminue. L'espoir renaît.

La dernière discussion en groupe dans mon bureau a révélé un changement important dans les attentes des filles. Ce jour-là, elles ont insisté auprès de leur mère pour qu'elle passe plus de temps avec chacune d'elles, individuellement, non pas pour parler d'événements conflictuels ou rattachés à l'accident, mais pour vivre, pour faire des choses qu'elles pourraient choisir elles-mêmes : cinéma, patinage, magasinage, etc. La vie reprend enfin le dessus sur la survie. Maintenant que Marie et ses filles sont dans une période de mouvement, chacune retrouve peu à peu son pouvoir sur sa vie.

Mettre un visage sur celui par lequel le malheur est venu

Lorsque les fillettes ont lancé la phrase : «On veut voir le monsieur qui a tué notre papa», elles m'ont décontenancé. Requête bien légitime, sans doute, mais comment y répondre? On ne décroche tout de même pas le téléphone pour prendre rendez-vous avec lui!

Puis j'ai pensé à l'enquête préliminaire qui aurait lieu plus tard, puisqu'il y avait eu mort d'homme. Une telle enquête étant publique, elle offrirait probablement la seule occasion de rencontrer, ou tout au moins de croiser, de voir cet homme. Je ne savais cependant pas si l'on permettait aux enfants d'assister aux comparutions.

Vérifications faites, rien ne s'oppose à leur présence, et Marie est d'accord pour que nous soumettions l'idée aux filles. Celles-ci acceptent la proposition sans hésitation.

Puis, soudainement, je me demande si j'ai eu raison de faire cette proposition. Quand j'en parle autour de moi, les gens sursautent, disant que je vais traumatiser les enfants. Le doute s'installe. J'hésite. Suis-je allé trop loin?

Pour dissiper cette incertitude, je m'adresse aux personnes que cela concerne directement, les trois filles. Au cours d'une séance, je leur fais part de ce que disent les gens autour de moi et des doutes qu'ils soulèvent en moi. Assis par terre, le dos appuyé contre le mur et les deux genoux relevés, je leur demande comment elles réagissent à cela. Virginie, assise dans l'autre coin de la pièce, se lève et vient se placer devant moi, appuie ses deux coudes sur mes genoux, puis dit, sur un ton qui ne laisse pas beaucoup de doute : «On veut tout simplement voir le monsieur qui a tué notre papa. C'est tout!»

Je n'éprouve plus d'hésitation maintenant. Cependant, je veux bien les préparer à cette rencontre. Une préoccupation de Virginie concerne le juge : «Est-ce que le juge va avoir un marteau avec lequel il va donner des coups?» C'est l'occasion de lui expliquer comment se déroule une comparution. Elle exprime également sa crainte de se trouver trop près de l'individu. Elle insiste pour qu'il y ait une distance très précise entre elle et lui. Nous faisons même une répétition dans mon bureau pour la rassurer.

Quant à Rosalie, bien blottie dans mes bras, elle me dit qu'elle veut bien voir l'homme, mais pas lui parler. Elle souhaite que la distance entre eux soit équivalente à la longueur de mon bureau. Elle ne veut pas être plus proche, précise-t-elle, parce qu'elle a peur de lui.

Marie a demandé que, le jour de la comparution, d'autres adultes s'occupent des enfants, ayant elle-même besoin de toute son énergie pour se concentrer sur le témoignage qu'elle devra rendre. Lorsque je me présente à la maison, très tôt ce matin-là, plusieurs membres de sa famille sont déjà arrivés. Quelqu'un s'occupe des filles. Un autre prépare le café. L'atmosphère reste calme, presque feutrée, mais sans être triste ou mélodramatique. Marie m'avait déjà mentionné à quel point sa famille est proche, combien ils se soutiennent tous. Je sens une grande chaleur et de la compassion chez ces gens. Je sens que j'ai une place au sein de ce groupe. En fait, je sens ce que j'aurais aimé trouver dans ma propre famille, avec mes sœurs et mes parents, quand j'étais plus jeune. Dans le cas de Marie et de ses filles, le soutien de la famille a grandement facilité le processus d'intégration de la mort d'Yves.

Je ne sais pas ce qu'ils ressentent tous, ce matin, mais moi, je commence à avoir le trac…

Au palais de justice, c'est d'abord l'attente dans les corridors. D'autres personnes patientent pour entrer dans la même salle. Je me demande si l'accusé se trouve parmi elles, une question que se posent également les enfants. Nous n'obtiendrons toutefois la réponse qu'au moment de la comparution.

Enfin, nous pouvons entrer! Mais notre attente n'est pas terminée. D'autres causes précèdent celle de la famille, et il y a beaucoup de monde dans la salle. Nous sommes assis en rang d'oignons dans la première rangée, Marie d'un côté, Rosalie sur moi, Virginie et Émilie de l'autre côté.

Nous apprenons que l'homme ne témoignera pas, mais réussissons malgré tout à le discerner dans la foule et à le désigner aux enfants.

Au fur et à mesure que sont entendues les autres causes et que se rapproche le moment de celle qui nous intéresse, mon rythme cardiaque s'accélère. J'ai, en plus, un point au ventre. Réactions typiques dans des moments de grande intensité et de grande anxiété.

Les enfants fixent l'homme. Moi aussi. Je m'assure que Rosalie, moins bien placée et plus petite que les autres, puisse le voir. Elle l'a bien observé puisque, à la pause, elle me décrit parfaitement sa tenue vestimentaire. Tout y est. C'est une photo gravée pour longtemps. Plusieurs mois après cette journée, elle peut encore décrire sa tenue vestimentaire, ainsi que les traits de son visage.

Au cours des témoignages, Virginie me tire la manche et me dit : «Il n'a pas l'air si méchant, le monsieur...» Quelques instants plus tard, Émilie me fait une remarque semblable.

Elles peuvent maintenant mettre un visage sur la personne qui leur a enlevé leur père. Le fait de voir cet individu leur permet de vérifier toutes les images qu'elles se sont faites du «monstre».

Pendant le témoignage de leur mère, immobiles et silencieuses, elles ont les yeux rivés sur elle.

Pour des enfants, c'est beaucoup d'émotions dans une même journée, des émotions qu'elles n'ont cependant pas eu le loisir de manifester sur place. Je trouve important de leur permettre une expression plus libre et spontanée de ce qu'elles ont ressenti à cette occasion. Et pour ce, quoi de mieux qu'un jeu !

De retour à mon bureau, toute la famille se retrouve assise par terre. Le jeu est le suivant : chaque fille doit montrer comment elle se sentait «dans son cœur» quand elle a vu l'homme. Il ne faut pas utiliser des mots, mais trouver une façon de faire comprendre les émotions. Marie et moi tenterons de deviner ce qui est exprimé.

Rosalie se lève. Elle saisit une chaise, la place au milieu de la pièce et dit : «Le monsieur est assis sur la chaise, mais il est invisible.» Elle fait ensuite basculer la chaise et la pousse dans tous les sens. Ses sœurs rient. Je ne comprends pas ce que Rosalie essaie d'exprimer. Après quelques instants, Marie lui demande si elle fait subir à l'homme la même chose qu'il leur a fait en les frappant avec son auto. Rosalie répond par l'affirmative.

Au tour de Virginie. Elle prend mon gros toutou et, pendant plus de cinq minutes, saute dessus à pieds joints, jusqu'à ce qu'elle n'en puisse plus. C'était assez clair comme expression de sa colère.

Finalement s'avance Émilie, qui avait déjà dit à sa mère qu'elle trouvait ce genre de rencontre un peu ridicule. Prenant la même chaise que Rosalie, elle met le toutou sous le siège, derrière les barreaux. Devant, elle place une pancarte sur laquelle elle a inscrit le mot «prison».

Quant à Marie, elle dispose par terre, devant les filles, cinq photos, une de chaque membre de la famille, qui représentent des souvenirs heureux. Elle fait une grimace et lâche un «Ouach» bien senti pour exprimer sa colère et son dégoût vis-à-vis de l'individu négligent qui a fait perdre la vie à son mari et a détruit ainsi toute leur vie de famille. Elle profite de l'occasion pour dire à ses enfants qu'elle a déjà pensé à «décrocher de la vie», mais que maintenant elle a choisi de vivre et, plus précisément, de vivre avec elles.

Cette réflexion très touchante a ouvert la porte à une conversation sur la mort, au cours de laquelle les trois filles ont elles aussi affirmé avoir pensé à mourir pour aller rejoindre leur père…

Il a fallu de longs mois avant que le jugement soit rendu dans cette cause. Chaque fois que la Cour siégeait, les enfants étaient toujours présentes. Elles voulaient entendre le prononcé de la sentence. L'homme a finalement été condamné à trente-six mois de prison, avec possibilité de libération après six mois. Leurs réactions? Ce n'était pas assez. Il leur avait enlevé leur papa pour toujours, il aurait donc dû aller en prison pour toujours.

Maman part en voyage

Perdre un conjoint et assumer la responsabilité de trois enfants en bas âge tout en essayant de vivre son deuil, «c'est un travail à temps complet», de dire Marie. Dans des cas semblables, je considère comme essentiel que les parents s'accordent un temps de répit à l'occasion, sans les enfants, et ailleurs, si possible : quelques heures, quelques jours, quelques semaines même. Il faut se permettre de prendre un peu de repos, d'explorer autre chose que la souffrance et la mort.

Quelques mois après l'accident, Marie reçoit une invitation pour aller se reposer chez une amie. Elle hésite à faire ce voyage, mais acceptera, finalement. Ce sera un premier test important pour elle et les enfants. En effet, lorsque l'un des parents meurt, l'enfant peut craindre d'être abandonné par le second parent.

Rosalie et Virginie manifestent justement leur crainte en demandant : «Est-ce que maman va revenir? Est-ce qu'elle peut mourir, elle aussi?» Cette question mène à une discussion sur la vie, la mort, le fait que tout le monde meurt. Je précise qu'il est fort peu probable que Marie décède au cours de son voyage. De tels propos ne sont pas tout à fait rassurants, mais ils demeurent réalistes et ne constituent pas une explication fleur bleue.

Pour aider les deux sœurs à traverser cette période difficile, je leur propose de construire un calendrier, en prévoyant une page pour chaque jour du voyage de leur mère. Sur chacune, Virginie et Rosalie pourraient placer quelque chose de particulier : une note, un autocollant, une phrase ou des dessins. Les filles réagissent avec enthousiasme.

Les cahiers se transforment tranquillement en calendrier. Un coup de crayon par ici! Un dessin par-là! Un autocollant sur chaque page, des images découpées et collées un peu partout, les dates de tous les jours du voyage... Chacune y met sa touche personnelle. Et il reste assez d'espace pour annoter, dessiner ou coller, au fil des jours à venir.

Le calendrier permet aux filles de bien situer le temps de l'absence et de maintenir un lien symbolique avec leur mère en demeurant actives quotidiennement.

Quand Marie est revenue, saine et sauve, bien sûr, l'une et l'autre lui ont vite fait part de leur joie de la revoir en l'invitant à «feuilleter» le chemin parcouru pendant ces deux semaines.

Une visite à l'hôpital

Virginie ayant subi d'importantes blessures dans l'accident, dont une commotion cérébrale, elle est demeurée plusieurs jours dans le coma. D'abord transportée dans le même hôpital que sa mère et ses sœurs, elle a été ensuite dirigée vers un autre hôpital, plus spécialisé.

Un jour, elle me mentionne que, bien qu'elle se soit trouvée deux fois dans une ambulance, elle ne sait pas à quoi ressemble l'intérieur d'un tel véhicule. De plus, elle ignore quels soins médicaux on lui a prodigués quand elle était dans le coma. De l'accident, il ne lui reste qu'une cicatrice sur le côté de la tête. À mon avis, une visite des lieux où on l'a soignée lui serait bénéfique. Ce serait une manière de se réapproprier une partie de sa vie qui lui a glissé entre les doigts. Cela lui éviterait d'imaginer les choses autrement que de la façon qu'elles se sont passées, minimisant ainsi le risque qu'elle développe plus tard des attitudes et des comportements négatifs basés sur de fausses perceptions. Avec la complicité d'un infirmier que je connais bien, la visite s'organise rapidement.

Virginie souhaite la présence de sa mère, la mienne et celle d'un oncle qui est resté à son chevet tout le temps de son hospitalisation.

Nous allons d'abord voir le débarcadère. L'infirmier explique à Virginie que le personnel infirmier avait été prévenu de son arrivée. Il insiste : «On t'attendait déjà avant que tu arrives...»

Puis nous nous dirigeons vers la salle de traumatologie. C'est impressionnant, tout cet équipement pour donner des soins d'urgence à des enfants. Comme la salle d'opération est vide, l'infirmier prend tout le temps nécessaire pour expliquer à Virginie ce qu'on y fait afin qu'elle puisse reconstruire la courte mais importante période de sa vie qui lui manque. Assise sur une table d'opération pendant plus d'une heure, elle écoute avec attention le récit de toutes les interventions chirurgicales qui lui ont été faites à la tête. Elle semble fascinée. Elle ne quitte pas l'infirmier des yeux. Elle pose des questions, touche aux instruments, s'étend sur la table, essaie d'autres instruments. Elle rit, et parfois regarde sa mère. En l'observant, je suis profondément touché, et heureux d'avoir proposé cette visite. J'ai l'impression d'aider Virginie à se réapproprier une étape de sa vie.

Vers la fin de la visite, elle dit qu'elle aimerait bien monter dans une ambulance.

L'infirmier, qui vient justement de remarquer l'arrivée d'un de ces véhicules, propose qu'on aille le voir. Virginie court! Les ambulanciers étant absents, c'est l'infirmier qui nous y fait monter et qui fournit des explications sur les divers instruments et appareils. Après quelques minutes, les deux ambulanciers reviennent et donnent d'autres explications.

Au cours de la conversation, ils s'informent de l'accident. Plus les détails de l'événement leur sont précisés, plus leur physionomie change. Ce sont eux, disent-ils, qui ont amené Virginie à cet hôpital, le soir de l'accident. Les ambulanciers sont très émus. Nous le sommes tous, d'ailleurs. «Tu sais, ajoute l'un d'eux, tu étais très blessée. Nous craignions même pour ta vie. Alors, de te revoir aujourd'hui sur tes deux pieds, ça nous fait énormément plaisir.»

Je repense toujours à ce moment avec beaucoup de joie et de satisfaction. Lorsque je donne une conférence ou une formation, il m'arrive de raconter cet épisode de l'ambulance et de la présence des deux ambulanciers. Ce fut un instant magique, et Virginie s'en souvient encore aujourd'hui dans ses moindres détails.

Les morceaux manquants ayant été retrouvés, à moi de jouer maintenant. Pour amener Virginie à exprimer ce qui lui est arrivé, à son corps, à sa tête, je lui suggère la pâte à modeler, puisqu'elle adore jouer avec les différentes couleurs et aime l'odeur de ce matériau. Je lui demande d'abord de représenter sa tête comme elle était avant l'accident. Aussitôt, elle se met à l'œuvre. La règle du jeu demeure toujours la même : elle crée et je devine. Très vite, sa tête prend forme : de couleur bleue, elle est ronde, lisse et plate. Pardessus, elle ajoute de petits morceaux de couleurs différentes, bien séparés les uns des autres. Elle attend… J'hésite. Je n'ai pas la moindre idée de ce que représentent les pièces appliquées. «Ce sont les veines et les muscles, voyons!»

Je lui demande ensuite de modeler sa tête après l'accident. La forme est la même, mais beaucoup plus grande, et on retrouve les mêmes appliques. Là s'arrête la ressemblance. Elle mélange le tout avec vigueur. Les couleurs s'entremêlent. Les formes deviennent confuses. La surface devient rugueuse. Comparée à la première, sa deuxième création donne l'effet du chaos.

À un moment, je croyais qu'elle avait terminé, mais l'artiste continue son œuvre. Au milieu, elle dresse tout un échafaudage coloré : petite boule, appliques et petits morceaux qui se superposent très adroitement. Elle me regarde, devinant bien que je ne peux pas imaginer ce que tout ça représente. «J'attends tes explications», lui dis-je. Elle m'informe alors que la boule bleue, au milieu, est sa cicatrice à la tête. Les lanières de chaque côté, ce sont les six médecins qui l'ont examinée (c'est bien ce nombre que lui avait mentionné l'infirmier au cours de notre visite). Quant aux petits morceaux collés les uns par-dessus les autres, il s'agit d'instruments chirurgicaux.

Fascinant! Virginie est vraiment une artiste! Tout a trouvé une place dans sa création : l'apparence de sa tête avant l'accident, l'accident lui-même et les soins qui lui ont été prodigués.

J'ai bien fait mon travail... et elle a bien fait le sien!

Un an déjà

La date du premier anniversaire de l'accident approche. C'est un moment important pour toute la famille. Comment pourrait-elle souligner cet anniversaire sans tomber dans le mélodramatique? Comment permettre aux enfants de prendre conscience que la tempête est derrière elles, qu'elles ne sont plus dans la grande souffrance et qu'elles ont fait un grand bout de chemin?

D'abord par un retour «en mer», c'est-à-dire en faisant de la voile sur le lac Champlain. En effet, un ami offre à la famille l'occasion de naviguer; la première fois depuis l'accident. Les filles passeront quelques heures sur le voilier, et Marie, quelques jours. Lors de la sortie avec les enfants, une équipe de tournage recueillera témoignages et images. Ces quelques scènes formeront la trame directrice d'une émission de télévision portant sur l'accident et ses conséquences pour la famille.

Repeindre le salon les aide à réaliser que les choses ont changé et qu'elles peuvent vivre différemment : la maison aussi est différente.

Une autre idée, plutôt inusitée, est proposée : ouvrir, en présence des enfants, le sac contenant tous les vêtements que la famille portait au moment de l'accident. La sœur de Marie le conserve depuis la mort d'Yves. Marie hésite, cependant, craignant la réaction des enfants. Les filles, elles, après qu'on leur en a parlé, n'hésitent pas une seconde. Elles sont d'accord.

Un soir, donc, nous nous retrouvons tous dans leur salon, le sac devant nous. Avant de procéder, je rappelle aux enfants l'importance et le sens du geste, compte tenu de l'expérience qu'elles ont vécue. C'est à la fois très touchant, émouvant, très doux, triste, sacré et grandiose. Oser un tel geste, c'est oser pénétrer de nouveau dans la mémoire du passé, à un moment difficile d'il y a un an.

Marie dénoue le sac. Premières odeurs, premiers vêtements souillés. Premières réactions des enfants : «C'est écœurant!»

Il n'est pourtant pas question de s'arrêter, et puis, très vite, elles oublient l'aspect dégoûtant des vêtements. Elles redécouvrent chaque morceau, étonnées parfois : «Ah oui, je portais ça! J'avais oublié.» Très spontanément, elles étendent chaque pièce de vêtement et recréent la tenue vestimentaire de chacun au moment de l'accident en associant chandails et pantalons, bas et souliers. Chaque personnage prend forme. Soudain, Rosalie s'écrie : «Eh! Ces vêtements-là ne me feraient plus!»

Je profite de cette porte qu'elle vient de m'ouvrir pour faire réaliser aux enfants qu'elles ont grandi, qu'elles ont changé. C'est aussi l'occasion de leur faire prendre conscience de l'évolution de leurs émotions, de leurs blessures et de leur douleur. Elles ne sont plus dans la même souffrance. Les choses vont un peu mieux.

Soudain, une des filles lance la question suivante : «Qu'est-ce qu'on va faire avec le linge?» La première réponse, formulée en chœur, est d'une logique claire : «On va le laver.» Un moment de silence suit. Chacune réfléchit. Puis Virginie s'exclame : «Je veux épingler le linge de papa sur le mur de ma chambre pour toujours!»

Nous n'avions pas prévu la question, et encore moins cette réponse!

De façon maladroite et peu subtile, nous tentons d'amener Virginie à changer d'idée sans donner clairement notre opinion sur son souhait. Plus nous insistons, plus Virginie s'accroche à son idée. «Je veux avoir un souvenir.» Fâchée, déçue et en colère, elle se lève soudainement et quitte la pièce, en larmes, pour aller se réfugier dans sa chambre. Ses sœurs attendent silencieusement la suite des événements…

Je vais rejoindre Virginie dans sa chambre. Elle est couchée sur son lit et pleure à chaudes larmes. Sans trop savoir ce qu'elle va comprendre de mes propos, je lui explique pourquoi, tout à l'heure, j'ai manifesté mon désaccord quant à son idée. «Je ne suis pas d'accord parce que, si tu gardes les vêtements dans ta chambre, c'est comme si tu vivais dans le passé. Et le passé est derrière nous. Il est préférable de vivre dans le présent.»

Virginie me regarde, m'écoute et cesse de pleurer. Je lui demande de penser à une autre façon de se souvenir des vêtements de son papa. Elle réfléchit, puis très spontanément affirme : «C'est simple! Je vais accrocher les vêtements sur un mur et je vais prendre des photos. Quand je voudrai voir mes souvenirs, je n'aurai qu'à sortir ces photos.» Virginie s'apaise. Elle a elle-même trouvé une solution qui lui convient, une solution probablement plus appropriée que ce que j'aurais pu lui proposer.

Souriante, elle retourne auprès des autres membres de la famille et explique ses intentions. Le débat reprend de plus belle sur ce qu'il faut faire avec les vêtements. Finalement, il fut convenu que chacune pourrait en disposer à sa guise pendant une journée. Quant à savoir ce qu'il adviendrait d'eux par la suite, rien ne fut décidé. Rien n'a encore été décidé…

La soirée s'est terminée dans la plus pure tradition Dell'Aniello : autour d'un morceau de gâteau et d'un verre de lait, tout ce petit monde rit, sourit et joue.

Vivre avec le passé, et non dans le passé, signifie «ne pas oublier». C'est prendre le temps de se rappeler.

5

Vivre

Savoir dire au revoir

Comment peut-on évaluer qu'une personne se sent assez bien pour mettre fin aux rencontres avec le psychothérapeute et poursuivre sa route seule ? Comment déterminer que la personne n'a plus besoin de cette aide ? Chaque thérapeute aura une réponse en fonction de son approche et de sa boîte à outils personnelle.

Au cours de la deuxième année, je constate que Rosalie et Virginie font un sérieux bout de chemin : leur intégration à l'école est bonne et leurs résultats scolaires, satisfaisants. Elles se nourrissent et dorment bien et elles ont des amis. Lors de nos rendez-vous, les thèmes associés à la mort du père s'estompent. « Survivre » fait partie du passé. « Vivre » a repris sa place. Je dois envisager la fin de nos rencontres. Mais par quelle baguette magique ou boule de cristal m'assurer qu'elles ont vraiment repris goût à la vie ?

Je fouille dans mon coffre aux trésors et en sors de nouveau le jeu des deux cœurs. Sur deux feuilles, je dessine un cœur. Puis je demande à Rosalie d'illustrer comment elle se sentait dans son cœur après l'accident quand elle pensait à la mort de son papa. Elle remplit le premier cœur de gribouillis de toutes les couleurs. Il est plein de lignes qui vont dans toutes les directions. Il n'y a aucune forme précise, que des lignes courbes, droites, croches, rondes. La désorganisation totale ! Elle complète rapidement le dessin.

Ensuite je lui propose de dessiner comment elle se sent aujourd'hui quand elle repense à son père. Elle trace des lignes d'une seule couleur, horizontales et verticales, qui donnent un cœur quadrillé. Dans chaque carré du quadrillé, elle place un petit point. « Les points, ce sont des larmes », me précise-t-elle. Je constate qu'une réorganisation est en cours, même si la peine demeure présente.

Lorsque j'aborde les mêmes questions avec Virginie, comme d'habitude ses réponses sont beaucoup plus élaborées. D'abord, elle affirme que pour elle deux feuilles ne suffisent pas. Elle en prend sept sur lesquelles elle trace sept cœurs. Le premier est divisé en deux par une large déchirure du haut du cœur jusqu'à sa pointe, en bas. Il se transforme ensuite en un visage avec l'ajout des yeux bleus. Des accents circonflexes tiennent lieu de sourcils. Sous l'un des yeux coulent de grosses « gouttes de peine », comme elle les nomme. Il y a aussi une bouche qui fait la moue. Je conviens avec elle que ce cœur a beaucoup de peine. Au bas de la feuille, dans le coin droit, en dehors du cœur, on retrouve les deux petits personnages souvent présents dans ses dessins, son père et l'homme qui a causé l'accident.

Le septième cœur, celui qui représente comment elle se sent aujourd'hui en pensant à son père, a des yeux ronds. La déchirure a disparu. Il donne une impression de légèreté. Elle y ajoute deux bras et deux petites mains qui semblent triomphantes. Elle termine son œuvre avec une bouche qui rit, en me demandant sur un ton victorieux : «Comment on écrit ça : Yé!» Je le lui écris comme je peux. Alors, sous la bouche, elle écrit deux fois, tel quel : *Yé!!!!!!* Avec six points d'exclamation! À l'intérieur du cœur, à droite, à côté de la bouche, elle a placé les deux mêmes personnages. Elle a fait un gros *X* sur celui qui représente l'homme.

Les cinq autres dessins marquent des nuances progressives entre l'état du premier et du dernier cœur. Virginie l'artiste a bien traduit la progression dans l'évolution de sa souffrance et de son bien-être. Pour un enfant, quelle belle façon de me dire : «Regarde! Ça va mieux...», sans paroles et sans explications.

J'ai encore d'autres recettes magiques dans mon coffre pour vérifier si le voyage tire à sa fin. Par exemple, je fais apparaître le magasin de bonbons!

De tous les souvenirs dont il est question tout au long de mes entretiens avec les filles, celui qui, de loin, refait le plus souvent surface lorsqu'il s'agit d'Yves, c'est celui des bonbons. Le père et ses filles ont développé une complicité concernant l'achat de bonbons. Combien d'anecdotes m'ont-elles racontées à propos de ces fameux bonbons! Marie partageait aussi cette complicité avec Yves.

Ce souvenir semble particulièrement présent pour Rosalie, la plus jeune des filles. Lorsqu'elle m'en parlait, c'était souvent avec beaucoup de tristesse, une tristesse qui s'est apaisée au fil du temps. Pour mieux comprendre cette peine, Rosalie et moi avons fabriqué un magasin de bonbons à l'aide d'une grosse boîte de carton. Comptoir, bonbons, porte, fenêtres, enseigne : tout y est. Nous avons ensuite fabriqué les personnages, en l'occurrence Rosalie, son papa et le vendeur.

Nous consacrons le reste de la rencontre à jouer au père et à sa fille qui viennent acheter des bonbons et qui, sur le chemin du retour, s'entendent pour garder le secret à la maison. Pour la première fois, Rosalie rit de bon cœur.

À la fin de la séance, elle a choisi d'emporter le magasin de bonbons. Elle raconte avec enthousiasme à sa maman ce que nous avons fait ensemble... Elle revit ces souvenirs sans tristesse pour la première fois. Les signes de bien-être comme celui-là se multiplient chez elle.

Quoi d'autre pourrait m'indiquer qu'un au revoir est proche? Mon gros ourson brun! Toute personne qui y touche, adulte ou enfant, est charmée par sa douceur, sa souplesse et ses deux petits yeux cachés dans la fourrure. On le prend, on le serre, on le flatte, on l'adopte. Personne n'y échappe. C'est mon allié préféré avec les enfants... et même avec certains adultes.

L'animal en peluche devient un acteur animé par l'enfant. À travers lui, celui-ci peut exprimer quelque chose que lui-même ne peut pas se permettre de dire ouvertement parce que c'est trop douloureux ou parce que la charge émotive lui fait trop peur. Il peut ainsi l'exprimer avec de la distance. Il apprivoise tranquillement sa souffrance, lui donne une forme, une âme. Il découvre des moyens de l'extérioriser et de composer avec elle.

C'est ce que faisait Virginie lorsqu'elle sautait à pieds joints sur l'animal en peluche pour exprimer sa colère. Avec lui, elle pouvait se laisser aller; il ne dirait jamais rien. C'est ce même animal qu'Émilie a mis en prison pour exprimer ce qu'elle ressentait vis-à-vis du responsable de l'accident.

Mais c'est sans doute avec Rosalie qu'il joue un rôle essentiel. Depuis le début, il a revêtu une importance toute particulière pour elle. Il est devenu son «papou». À chacune des visites, son premier geste est pour lui. Elle le prend dans ses bras en disant très fort et très affectueusement : «Papou!» Il devient à la fois confident et ami de jeu. Quelle que soit l'activité que nous faisons ensemble, papou est présent, à côté d'elle ou dans ses bras. Souvent, à la fin d'une rencontre, nous nous installons dans les coussins, côte à côte, et je lui lis un conte, l'ourson presque aussi grand qu'elle bien collé contre elle.

Constatant l'importance qu'il a pour elle, je propose à Rosalie de l'apporter à la maison; au moment qu'elle jugera opportun, le jouet pourra reprendre sa place dans mon bureau. Les semaines passent. Marie m'informe que sa fille dort avec l'ourson et entretient de longues conversations avec lui.

À Noël, elle reçoit un énorme Winnie l'Ourson. Elle l'adopte vite. Il remplace le mien au moment du dodo. Marie me rapporte le dialogue suivant entre Rosalie et lui : «Moi, je suis prête à te ramener chez Gilles. Toi, es-tu prêt à y retourner?»

Pour la réponse de l'ourson, Rosalie change de voix : «Non! Pas tout de suite!»

Quelques semaines plus tard, elle me rapporte enfin mon ourson en m'expliquant qu'elle a maintenant le sien. «Il a même un bouton magique sur le ventre, précise-t-elle. Quand je pèse dessus, j'arrive à parler avec lui et il me répond.» Un problème majeur se pose cependant : comment s'assurer que mon ourson ne s'ennuiera pas d'elle? La solution est simple. Elle fait un dessin spécialement pour lui, qu'on colle sur le mur, juste à côté de lui; ainsi, il ne s'ennuiera pas d'elle.

Ce geste marque la dernière étape de nos rencontres. Au cours des dernières semaines, nous avons bien ri, particulièrement de cette scène où elle avait refusé de jouer à l'accident alors qu'elle appelait sa maman. Comme c'était drôle d'avoir remplacé les vrais personnages par des animaux en peluche! Elle m'a même confié qu'elle s'ennuyait moins de son papa.

Au fil du temps, le jeu et les exercices ont porté de plus en plus sur d'autres sujets que la mort de son père ou des thèmes s'y rapportant. Rosalie avance, évolue. Son langage devient plus clair, plus fluide. Lorsque je lui propose de penser à des dessins ou à des jeux en relation avec son papa, elle n'en trouve plus.

Un jour, je lui mentionne que c'est le temps de nous séparer, de mettre un terme à nos rendez-vous. Nous plaçons dans un cartable tous les dessins qu'elle a réalisés. C'est avec beaucoup de douceur et de peine que j'ai dit au revoir à Rosalie…

J'avais encore un autre moyen pour déterminer qu'il était temps de laisser les filles voler de leurs propres ailes : le conte. Les mots «Il était une fois…» sont toujours magiques pour des enfants.

J'ai, au fond de mon bureau, un meuble chinois qui renferme plein de livres pour enfants, aux titres évocateurs : *L'arbre sans fin*, *L'horloge s'est arrêtée*, *Une bien mauvaise journée pour Benjamin*... Grâce à eux, j'aborde toutes sortes de thèmes avec les enfants. Raconter une histoire, c'est leur permettre de comprendre, de se projeter, de discuter. En effet, il arrive souvent, avec Rosalie ou Virginie, qu'on interrompe la lecture d'une histoire pour discuter de leurs propres émotions à partir d'une image d'un accident, d'un toutou en colère ou d'un gros lapin triste... Souvent, aussi, elles choisissent elles-mêmes les histoires, qu'elles me font recommencer encore et encore.

Un jour, avec de grandes couvertures, Rosalie et moi avions construit une cabane au milieu de mon bureau. Nous nous y étions réfugiés pour nous raconter des histoires. Grâce au pouvoir de l'imaginaire, Rosalie avait pu se livrer par rapport à sa peine. Cet instant d'intimité avec elle fit monter en moi des souvenirs du temps où j'avais à peu près son âge. L'hiver, comme ma chambre était froide, je relevais ma couverture par-dessus ma tête. Ensuite, pendant plusieurs minutes, dans ce cocon chaud et intime, chaque soir il y avait un concert d'animaux : j'imitais à tour de rôle le cri du coq, de la poule, du cheval ou du cochon... Puis je m'endormais.

Avec Virginie, le conte, *son* conte en fait, lui permit de faire le bilan de ce qui lui était arrivé, du chemin qu'elle avait parcouru depuis l'accident.

Un jour, plusieurs mois avant la fin de nos rencontres, Virginie m'avait informé qu'elle venait d'avoir sa dernière séance avec la physiothérapeute. J'en avais profité pour lui demander si elle pensait qu'on arrêterait aussi de se voir un jour. «Bien sûr, avait-elle répondu, quand je n'aurai plus mal dans mon cœur. Mais je pourrai revenir te voir si quelque chose ne va pas.» Et nous avions passé à autre chose.

Vers la fin de nos séances, je lui demande de dessiner ce qui est encore difficile pour elle. Elle ne trouve plus rien à créer. J'avance qu'il est peut-être temps de cesser nos rendez-vous… comme en physiothérapie. Elle est d'accord. Nous voulons cependant trouver une façon agréable de nous quitter. C'est elle qui a l'idée : «Je veux faire un livre qui raconte ce qui m'est arrivé.»

Ainsi est né le «Journal de Virginie».

Pendant plus de deux séances, Virginie me dicte les phrases. Je les écris à la main. Chacune d'elles représente une des étapes qu'elle a traversées, à partir du repas avec la famille de sa mère juste avant l'accident, jusqu'à aujourd'hui. Lorsqu'elle a terminé, nous nous installons devant l'écran de mon ordinateur pour saisir ce texte. Virginie choisit elle-même le type et la grosseur du caractère, ainsi que l'espacement entre les lignes. Chaque phrase est placée en haut d'une page; il y en a une trentaine en tout. Elle va illustrer ensuite chaque page avec un dessin.

Quelques semaines plus tard, elle revient me montrer son œuvre. Les dessins sont magnifiques.

Ce travail terminé, il faut maintenant se dire au revoir. Virginie est prête à poursuivre sa route sans moi. Les rires et la créativité de Virginie l'artiste vont me manquer…

La recherche d'un sens

Parfois, à la suite d'un décès, nous cherchons trop rapidement à donner un autre sens à notre vie, mais le soulagement qu'on en retire ne dure pas. Pour ceux et celles qui font de cette question de sens un enjeu vital de survie, et ce, immédiatement après le décès, il y a un risque important que leur recherche devienne une voie de contournement pour éviter de plonger dans les émotions qui les habitent.

Donner rapidement un sens au décès par le biais de la religion ou d'autres croyances, sans avoir préalablement reconnu, ressenti et exprimé sa souffrance, risque de n'avoir qu'un effet d'apaisement temporaire. La souffrance traitée sur le plan de la spiritualité seulement pourra un jour émerger d'une manière déroutante et inattendue, à la suite d'un événement parfois anodin. À ce moment-là, elle devient intolérable, incompréhensible et démesurée parce que la personne n'arrive plus à l'associer à un événement passé, clair et identifiable. Elle arrive encore moins à l'apaiser. Elle tente alors de survivre par tous les moyens.

Pour Marie, ce risque paraît moins présent. Elle a choisi d'écouter son corps et de laisser monter les émotions. La question du sens de l'accident ou de sa propre vie s'est posée un an et demi après la collision. Bousculée dans ses croyances, elle ressent le besoin de redonner un sens à sa vie, aux événements, aux gestes quotidiens. Ce thème revient souvent au cours de nos conversations. Elle se demande pourquoi cet événement est survenu dans sa vie, pourquoi elle se retrouve dans les mêmes conditions que sa mère, seule avec les enfants, pourquoi elle a cette même impression d'abandon concernant les hommes significatifs de sa vie. Elle se demande aussi ce qu'elle peut apprendre de l'attitude d'affrontement d'Émilie et de ses propres réactions. Enfin, elle veut savoir quel sens accorder à la mort de son conjoint.

Cette dernière interrogation m'amène à lui faire part de la réflexion de cette amie dont les deux enfants sont morts dans un accident d'auto. Au cours d'un atelier que j'animais et qui portait sur le deuil à la suite du décès d'un enfant, trois parents, dont cette amie, répondaient aux questions soulevées. Parmi celles-ci, il y avait les suivantes : «Qu'avez-vous trouvé le plus difficile à la suite du décès de votre enfant? Quels moyens avez-vous utilisés pour pouvoir vivre et alléger une telle souffrance? Quel sens, quelle signification attribuez-vous à cet événement?»

À la dernière question, mon amie a fait le commentaire suivant : «La mort de mes enfants ne m'appartient pas. J'ai cessé d'essayer de trouver un sens à l'événement parce que ça leur appartient. Ce que je veux trouver, c'est le sens de ma vie... Je suis une nouvelle personne et je dois découvrir qui elle est.»

Depuis ce temps, cette réflexion m'inspire. Je m'y réfère tant dans ma propre vie que pour aider ceux et celles que j'accompagne et qui tentent de comprendre un tel événement.

Avec Marie, par exemple, nous avons approfondi le sens de sa vie, plutôt que le sens de l'accident, de la mort d'Yves ou de son absence. Son questionnement a constitué un point de départ. Cette étape la conduira vers d'autres découvertes, qui seront susceptibles de provoquer une autre remise en question, qui, à son tour, apportera d'autres réponses. La recherche d'un sens à la vie mène à l'équilibre entre quatre composantes de l'être humain : le corps, les sentiments, la rationalité et la spiritualité.

La violente tempête qui a secoué Marie et ses filles s'est calmée. Elles peuvent poursuivre leurs voyages. Les voiles ont été rapiécées, le mât a été réparé et l'équipage a repris des forces. Tout peut encore se produire, au cours de ce voyage qu'est la vie. L'important n'est pas le port qui en marquera la fin, c'est-à-dire la mort, mais plutôt le voyage en soi et l'attitude que chacune adoptera.

Marie a choisi celle qui lui convient. Les textes qui suivent laissent entrevoir qu'elle adoptera à nouveau la vie pour complice.

Une corrida

De guerrière, je deviens peu à peu torero. J'en porte l'habit et je fais ses gestes. Le taureau est à la fois Yves, la mort et le deuil.

Je suis allée au front. La mort m'a ravinée tel un glacier qui se retire. J'ai lutté les yeux dirigés droit vers ceux d'Yves. Je l'ai regardé m'abandonner, je me suis rendue au bord de la folie. J'ai passé plus d'une année à ne faire que cela. C'est assez.

Répondre aux pulsions soulevées par le froid et le vide m'a apporté l'énergie nécessaire pour les affronter. Mon âme a goûté à la mort et a dérivé. Ce qui me guettait n'était pas fictif. Je luttais pour sentir à nouveau la vie plutôt que l'absence. Puis, imperceptiblement, ma course bifurque. Autant il était vital que j'entre dans cette dérive, autant je dois maintenant en ressortir. J'ai laissé tout mon être se disloquer pour permettre à cette mort de m'atteindre partout et de me modeler de ses empreintes. Vivre la fin de notre amour avec autant d'intensité que j'en ai vécu son histoire était le plus bel hommage que je pouvais rendre à Yves.

Je dois maintenant donner congé à la guerrière et quitter ce deuil. Je ne désire aucunement prolonger la guerre. Le torero doit achever la bête. J'ai déjà commencé à planter mes piques dans le corps de l'animal. Je veux lui faire mordre la poussière et j'ai les dents serrées. Je prends conscience de mon équilibre. Le taureau sent sa vie lui échapper et, dans ses derniers soubresauts, il pourrait encore m'encorner et m'enlever avec lui, me faire perdre pied à nouveau. Je demeure vigilante.

Je reste centrée sur le plaisir de l'air qui entre plus librement en moi. Je consens à quitter cet homme la tête haute. L'amour partagé avec Yves est terminé, il appartient au passé.

Jour après jour, je me vois agir simplement pour le plaisir. Je sens des désirs qui naissent, dissociés de ma vie avec Yves. L'angoisse diminue et laisse mon ventre se dénouer. La période d'errance cède la place à des secondes, des minutes, voire des heures de paix !

Plus mes désirs intérieurs émergent, plus je donne un sens à ce qui s'y rattache. Je découvre peu à peu qui je suis devenue. Je goûte le présent et j'apprends à accepter le futur. Je construis de nouveaux repères, de nouveaux ancrages qui me renvoient un écho signifiant. J'y prends goût, je retrouve enfin ma liberté.

Les souvenirs de mon amour intense me propulsent. J'ai maintenant retrouvé tous mes morceaux, je le sais. Certains ne me sont pas familiers, d'autres sont des complices de longue date. Toutes mes parties se repositionnent et leurs contours se redessinent. J'apprivoise cette nouvelle vie.

Des mains

Début septembre. C'est un matin cristallin. Malgré l'humidité, il fait bon se retrouver dehors et respirer. Les couleurs sont franches. Une journée qui s'amorce par un clin d'œil de la nature, j'aime bien.

À l'heure du dîner, après une bonne matinée de travail et de discussion, quelqu'un me tend un sandwich. Il me touche les mains, à peine. Geste anodin, mais mon cœur s'arrête. Je poursuis la conversation sans plus porter attention aux paroles. Je suis restée accrochée à ces mains. Jusqu'au soir, je repense souvent à elles et l'acuité de ces images me surprend.

Plusieurs jours s'écoulent. Mon cœur a cessé de battre trop vite. Puis de nouveau il est là, de nouveau mon cœur s'arrête. Sa voix, ses mains, sa gueule... Il m'atteint.

J'ai envie de le revoir, d'aller plus loin, de savoir pourquoi mon cœur devient fou. Il dit oui à un rendez-vous et nous amorçons ainsi une tranche de vie. Encore aujourd'hui, je ne sais pas bien la place que cela a occupé dans sa vie. Quant à moi, ce n'est pas sans importance.

Depuis que je suis à nouveau vivante, le contact avec les autres me permet de mieux me saisir. Je me reconnais plus aisément.

Après la mort d'Yves, l'absence de ses mains et de tout son corps a accentué et soutenu mon désir. Je me suis approchée de ce désir, j'ai remis à Yves ce qui lui appartenait, gardé nos souvenirs en mémoire et repris ce qui était à moi. Au fil des mois, je découvre une nouvelle complicité avec moi-même. Le désir m'habite assurément, mais aucune main n'est venue en prendre le pouls. La chaleur d'un autre, au creux des reins, le souffle d'un homme à mon cou me sont inconnus depuis que j'ai refait surface.

J'ai envie de lui.

Cet homme entre dans ma vie. Sa voix résonne en moi longtemps après ses départs. J'ai envie de lui, de cette liberté du geste qui échappe au contrôle de la tête. Le temps passe.

Rapidement, il me dit sa peur de me blesser, de se blesser lui-même, et je lui explique où j'en suis, du moins pour ce que j'en sais. Puis un soir, sans autre attache que le présent, je veux qu'il me prenne, là, maintenant.

Ses lèvres sont minces, bien dessinées. Ma langue est dans sa bouche, à le prendre, à le respirer. Mon souffle est court. L'embrasser encore et encore, le goûter. Toucher sa tête, ses cheveux, le caresser, le désirer. Urgent.

Il embrasse généreusement.

Ses mains m'enveloppent. Elles sont partout. Il me déshabille vite et me prend davantage. J'ai une envie folle d'être en lui. Tous mes muscles sont bandés, tendus. Je sens son passage en moi et l'intensité de ses gestes répond à l'urgence que j'ai de sentir sa marque, sa présence. Il me prend, cet homme. Il est tout à son désir, tout à nos corps.

Il me sent comme une jeune vierge et il a raison. Il me fait revenir un peu plus ou entièrement à la vie. C'est selon. Son odeur me suit dans ses caresses. Sa peau est douce, il bouge avec souplesse. Il aiguise mes sens, mon désir est puissant, il le rythme, je m'y abandonne. J'en suis à me gaver de lui et je m'apprivoise tout à la fois.

Il me fait chevaucher
Je navigue
Loin il m'emmène
Entière il me transporte

Plus tard, ses bras me serrent contre lui, m'apaisent. Mon corps a pris la parole, je sais un peu mieux qui je suis. Sa peau sur ma peau délimite autrement mon contour.

Une autre réalité s'impose : les heures ont passé, la gardienne m'attend. J'aurais passé la nuit soudée à lui ; je la passerai enveloppée dans son odeur masculine, au creux de mon oreiller, le goût de sa bouche sur mes lèvres. Je le respire jusqu'au bout de la nuit. Je dors à peine.

Par la suite, au fil de nos rencontres, rapidement nous savons que notre histoire ne sera que passagère. Dès lors, il me permettra d'apprendre à quitter sans désespoir.

Cet homme m'atteint. À sa vue, je me cambre. Il fait remonter en moi tant la passion que l'abandon. Sa peau m'appelle, son âme aussi.

Son sperme coule entre mes cuisses, et les larmes sur mes joues. Mon désir et ma peine se rejoignent au mitan d'une nuit. Avec sincérité dans le geste et les mots, il m'indique sa direction. Amitiés nourricières plutôt qu'amours meurtrières.

J'apprends à quitter.

Nos références diffèrent. Il connaît davantage les départs successifs qui déchirent que les liens que l'on tisse au fil du temps. Quant à mes amours, elles tuent par leur absence. Nous sommes tous les deux à une croisée de chemins, et, en ce moment, ce n'est pas quelqu'un comme moi qu'il cherche. J'en ai une peine profonde. Nos univers ne feront que s'effleurer, le temps que j'apprenne à le quitter. Il a la simplicité de me tendre la main et nous ferons lentement les gestes à venir, sans leurre et sans hargne.

Une image se dessine devant mes yeux. J'y vois une femme, debout au bord d'une rivière. Les rives sont boisées. Elle observe. À un moment, elle voit, emporté par le courant, un objet qu'elle affectionne. Malgré ses efforts pour le rattraper, il s'éloigne toujours, déporté par un autre courant que le sien. Elle a beau courir le long de la berge et le suivre des yeux, vient un temps où elle doit le regarder disparaître.

J'ai envie de m'abandonner dans les bras de cet homme, qu'il me serre contre lui. Goûter, sentir, toucher son corps, sans limites, avec le seul libre arbitre de la complicité. Voilà où je suis, voilà où il n'est pas mais où, en d'autres temps, il aurait pu être. Ces émotions ne lui sont pas étrangères. Des bras, un corps chaud comme un refuge, une oasis ou une pause, un temps pendant lequel on s'appuie. Abandonner la lutte, le temps du désir; le temps de sentir que l'on existe autrement. Permettre à l'autre de redonner un sens à sa propre peau et vibrer à nouveau au creux de ses cuisses. Sentir ainsi une appartenance.

C'est la perte de tout cela qui a signé mon éclatement dans la mort d'Yves. Il est sorti de ma vie avec la rapidité de l'éclair. Tous mes gestes pour me détacher de lui se sont faits sans sa présence réelle. Puis cet autre homme arrive dans ma vie. Il m'atteint tout de suite. Je perçois chez lui un mélange de vie, de folie, de rêves et de sensualité qui me rejoint. Les ingrédients ne sont pas tous les mêmes, mais le résultat est identique; il me fait vibrer tout comme Yves l'avait fait. Ce fil qui unit mon présent à mon passé m'apporte par ricochet une dernière rupture.

Avec la main que cet homme m'a tendue et son choix clair d'une amoureuse autre que moi, il m'apprend la sortie, avec toute l'expérience des départs et la délicatesse qu'il possède. J'oscille de longs mois entre la joie sans borne d'un moment partagé et la détresse de ne pas créer de liens qui dépassent le présent. J'ai tout le loisir de sentir le vide et de me détacher à petits pas.

Merci pour tout.

Le printemps arrive enfin, et, profitant d'une occasion qui m'est offerte, nous quittons la ville quelques jours. Ce sont mes vacances. Un congé sans les enfants. Le temps est clément, le décor, à faire rêver. Parfois nous sommes plusieurs, parfois il n'y a que lui et moi. Le rythme est agréable et notre complicité tient surtout au fait que nous partageons des activités et décidons ensemble des changements de direction. Ni presse ni heurts; deux univers en parallèle qui cohabitent.

Puis une nuit, peu avant le retour, un sanglot s'échappe de ma gorge alors que j'ai à peine conscience d'être sortie du sommeil. Il l'entend et m'ouvre ses bras. Je m'y réfugie et laisse monter les images. Mon corps a peur de ce qu'il voit. Je me mets à trembler, à respirer avec les nœuds qui me traversent. Son corps tout près du mien me garde en contact avec la réalité, car dans ma tête c'est l'affolement. Je le vois et le sens très nettement, il m'a donné tout ce qu'il pouvait et je me sais maintenant capable de partir. Tout au fond de moi, c'est aussi m'éloigner d'Yves, pour la dernière fois.

Ce constat réveille à nouveau en moi le sentiment d'abandon. Je sais cependant qu'il s'agit du temps qui s'arrête lorsque, au moment des départs, se manifeste le flottement entre ce qui n'est plus et ce qui est en devenir.

Étrange et apaisant, je suis dans le vide de cet homme et c'est lui qui m'en console sans le savoir.

Je ne peux dire combien de temps ont duré les tremblements, ni celui que mon corps a pris pour s'apaiser, mais j'ai fini par sombrer de nouveau dans le sommeil au creux de son dos.

Au terme de ces vacances, nous savons tous deux que c'est terminé. Je ne ferai que l'appeler pour me rassurer au son de sa voix et ne le reverrai que plusieurs mois plus tard.

Cette belle gueule est très liée à mon intimité. L'épisode de vie que nous avons partagé s'est déroulé à un moment où tout l'espace d'une relation profonde était encore inchangé, seulement laissé vacant, ainsi qu'à un moment où je me requestionnais sur les absents de ma vie. Cet homme a croisé le pas avec mon père, ma fille et Yves tout en tissant sa propre trame dans mon histoire.

Le fil rouge

Le fil rouge de ma vie : l'absence, le sentiment de vide. Non pas que ma vie en soit tissée exclusivement, mais mon tendon d'Achille est inscrit à cette adresse. Mon père, ma fille, mon amour : ils sont passés dans ma vie, puis sont repartis. Chaque fois, le départ reste sans équivoque, sans retour. Je les regarde sans trop savoir si c'est eux ou moi qui dérive, mais ils partent en emportant une partie de moi. Tous me vident de mon essence. Ils créent le vide. Chacun d'entre eux a répondu à un impératif profond en quittant les espaces de vie que nous partagions. Ce n'est pas moi qu'ils ont quittée, c'est leur vie qu'ils ont désertée. J'étais dans leur existence, ils m'ont larguée aussi. Ce sentiment d'abandon m'a faite guerrière depuis ma tendre jeunesse.

Laisser défiler une partie de soi, de son histoire, parce qu'elle se vit dans la relation avec l'autre, parce qu'elle ne nous appartient pas exclusivement est une chose. Laisser entièrement la direction à l'autre parce que l'impératif s'avère sa mort, c'est autre chose. Accepter de vivre le chaos qui s'ensuit devient un art dont le détachement demeure le centre.

Se dissocier de l'autre pour laisser à chacun la liberté du chemin à prendre, et choisir en même temps de s'associer encore à une âme parce que l'homme est ainsi, devient une dichotomie avec laquelle je jongle. Savoir naviguer entre le détachement nécessaire pour que la liberté de chacun puisse se faire entendre et le désir qui naît du besoin de se souder à l'autre pour le plaisir de l'être reflète l'histoire de ma vie.

La fin des rencontres avec Marie

Les saisons passent. Les souvenirs demeurent, mais la peine se transforme et devient plus douce. La colère s'estompe un peu. La vie a repris sa place au cœur de la blessure, même si la cicatrice est là pour toujours.

Un jour, Marie me confie qu'elle aurait volontiers annulé notre rendez-vous. C'est la première fois qu'elle le mentionne. Pour moi, c'est un bon signe. Le futur prend de plus en plus de place dans sa vie. Elle a rencontré un homme. Cette relation est éphémère, mais lui permet de faire face à certains de ses doutes. Elle reprend le boulot. Ses perspectives se précisent. Des choix à plus long terme se dessinent. Un voyage à l'extérieur du pays s'organise et se déroule bien. Elle devient de plus en plus consciente de sa valeur comme femme, comme mère. Marie sait qu'elle doit établir ses priorités, et elle les réévalue régulièrement.

Elle me dit avoir l'impression de reprendre toute la place qu'elle peut prendre. Elle a retrouvé ses moyens, même si ses forces ne s'expriment pas tout à fait de la même façon qu'avant, compte tenu de ce qui s'est produit.

Marie se sent fière, pleine d'énergie, malgré les périodes difficiles qu'elle vit, et vivra encore. Elle demeure consciente qu'elle est en train de se redéfinir et qu'elle doit réinventer sa vie.

Nos rencontres se distancent. De deux par semaine pendant plus d'un an, nous passons à un rendez-vous hebdomadaire. Ensuite, elle ne vient me voir qu'aux deux, puis aux trois semaines.

La conclusion de l'enquête sur l'accident et le prononcé de la sentence marquent la fin d'une étape importante. Nous profitons de l'occasion, au cours d'une des dernières séances, pour reparler de sa fille mort-née, pour vérifier comment Marie se sent vis-à-vis de ce décès, pour «boucler» ses morts, le fil rouge de sa vie.

Comment, maintenant, mettre un point final à ce que nous avons partagé ?

L'idée soulevée quelques semaines auparavant d'écrire un livre refait surface. Marie y voit une façon de formuler les choses autrement après les avoir explorées avec tellement d'intensité et sans retenue. Pour moi, la démarche serait une manière de me détacher, de devenir plus critique par rapport à cette expérience, de prendre du recul. Je me dis aussi que ce serait une forme de cadeau à léguer aux enfants. Pour qu'elles se souviennent.

Marie et moi nous sommes donc réunis à différentes occasions pour travailler sur ce livre, mais, dans le cadre du soutien à son deuil, notre dernière rencontre a eu lieu quelques semaines avant le deuxième anniversaire de la mort d'Yves. Ce fut l'occasion de préparer un ultime rituel commémoratif avec toute la famille, celui de l'héritage.

Dans les pages suivantes, Marie décrit cette soirée à la mémoire d'Yves, puis, en guise de conclusion, elle partage quelques-uns de ses états d'âme.

L'héritage

Cela fait près de deux ans qu'Yves est mort. La certitude de ce qu'il m'a légué s'avère plus franche. Il m'a restitué de l'espace, il a modifié mes limites en me laissant seule, il a libéré une énergie en moi. Savoir comment j'allais vivre maintenant était en partie lié à mon héritage. Dans le même élan, j'ai demandé à mes filles ce qu'elles emportaient de lui dans la poursuite de leur vie. En présence de Gilles et d'un ami, nous avons mis en commun nos réponses.

En début de soirée, dans le jardin, j'ai amorcé ce dernier geste destiné à clore ma vie avec Yves en rapportant une anecdote. L'événement dont il est question se déroule un an après ma rencontre avec lui. Nous sommes en août 1983.

Partis sur les routes de la Gaspésie, en vacances depuis plusieurs jours, nous sommes follement amoureux et le temps est magnifique. Un soir, à la sortie de Percé, nous nous retrouvons dans une petite chambre mansardée. Je m'endors rapidement, repue des aventures de la journée. Yves reste éveillé. Supportant difficilement l'inaction, il prend son appareil photo et décide de faire plusieurs clichés de sa blonde. Il me découvre donc et se met au boulot. À peine a-t-il terminé que je me réveille en panique. Je viens de rêver à sa mort et je suis affolée par sa perte. Il a beau essayer de me calmer, rigoler de la situation, me rassurer, rien n'y fait. Cette douleur m'a heurtée si violemment que c'est agrippée à lui, en sanglotant, que je passerai la nuit.

Au lever du jour, épuisée mais calmée par la chaleur de sa peau, je ne sais que faire de cette intrusion. Je la mets peu à peu de côté et dépose au fond de moi la violence du rêve et la panique qu'il a provoquée. Le soir de l'accident, lorsqu'on m'a annoncé la mort d'Yves, l'image de cette nuit a refait surface et j'ai su ce qui m'attendait, sans pouvoir bénéficier, cette fois, du refuge de sa présence pour me bercer.

Outre le souvenir de cette nuit-là, il me reste les photos prises avant mon réveil. J'ai donc montré une de ces photos aux personnes réunies à la maison et leur ai livré ce que je partageais avec Yves.

J'ai regardé vivre cet homme durant quatorze années. Il était façonné de rêves, mais aussi de réalisations. Il savait reconnaître et prendre sans condition ce qui lui appartenait. D'une énergie peu commune, il vivait difficilement la routine du quotidien et utilisait sa vivacité à s'émouvoir et à s'éblouir encore. Devant ses découvertes, il riait à gorge déployée et transmettait son plaisir de vivre à son entourage. Il dirigeait sa vie en reconnaissant d'abord les émotions présentes, s'assurait de ce qui lui était essentiel pour maintenir son équilibre intérieur, puis s'ouvrait aux autres. Sa présence était d'une grande qualité et ses absences, désespérantes. Généreux, profondément intègre, d'une grande liberté intérieure et heureux, voilà qui il était.

Amoureux fou, cet homme m'a ouvert tout l'espace dont il disposait. Dans le partage de nos projets, il mettait en lumière des idées extravagantes et les projetait dans l'avenir. Il m'enflammait, puis j'anticipais la réalisation de ces idées. Lorsque nous les concrétisions, au fil du temps, je gardais le cap et il animait le trajet. Il entretenait joyeusement le plaisir de se rendre à destination. Nous faisions équipe. Nous étions heureux.

Nous partagions une même énergie de vivre, un même sentiment légitime de ce qui est à soi, un même respect de la capacité d'être de chacun. C'est avec lui que j'ai appris à réaliser des rêves. Maintenant, je ne consens plus à vivre sans eux, même en son absence.

C'est un chemin tout nouveau que d'être l'unique instigatrice de projets. J'ai retrouvé cette partie de moi qui était enfouie sous la peau d'âne de mon père. Par sa mort, Yves a modifié mon rapport avec l'absence et l'abandon. Il m'a redonné le pouvoir de mes rêves.

En tant que père, Yves a travaillé sans relâche, assumant la responsabilité de pourvoyeur. Grâce à sa prévoyance, je peux aujourd'hui vivre sans l'inquiétude de ne pouvoir boucler mon budget. Je pourrais même partir à l'aventure avec mes trois filles. Seul maître à bord après Dieu, dit-on des capitaines ! Enfin, je garde de lui des moments de grande complicité, de paix et de rire.

Voilà ce que j'ai expliqué à mes filles, à notre ami et à Gilles. Par la suite, nous sommes entrés dans la maison et mes trois amours nous ont présenté ce qu'elles avaient préparé pour cette soirée.

Émilie a parlé du plaisir qu'avait Yves à travailler à l'ordinateur. Chaque fois qu'elle utilise l'ordinateur, elle pense à son père. Elle souhaite d'ailleurs lui ressembler dans la réussite de son travail. Elle a conclu en disant qu'elle n'avait pas à en dire davantage, car Yves était un homme au cœur simple.

Virginie, pour sa part, nous a apporté un ourson en peluche que son père lui avait donné quelques mois avant sa mort; un ourson qui avait été le complice d'Yves quand il était enfant. Virginie explique son choix par le fait qu'elle le trouvait jeune de cœur.

Quant à Rosalie, elle nous a montré tout le contenu de sa boîte à souvenirs. Au fil de son deuil, elle a amassé des objets représentant ses liens avec Yves. Maintenant, elle nous les faisait découvrir.

Les trois filles ont également relaté leur complicité avec Yves dans le plaisir d'acheter des bonbons en cachette. Ce jeu m'était connu, bien sûr, mais que cet élément les associe toutes trois à leur père me touchait, d'autant qu'il s'agissait d'un geste qui reliait également Yves à ses propres souvenirs d'enfant. À travers les bonbons, il avait réussi à leur transmettre des bribes de son enfance et de sa famille.

Notre ami nous a fait partager à son tour ce qu'il gardait d'Yves. «Je me souviens, dit-il, d'une grande intensité dans les sentiments qu'il éprouvait pour toi, Marie, et pour les filles, de l'écoute qu'il accordait aux autres, de l'énergie qu'il mettait dans son travail. Je me rappelle aussi sa fébrilité, sa joie de vivre. Penser à lui me réconforte lorsque mon cœur est las.»

Ensuite, Gilles a offert une fleur à chacune de nous, pour marquer la fin de notre démarche commune et représenter les souvenirs qu'il gardait d'une famille réconfortée. Il a également remis des bonbons aux filles en leur certifiant que, toujours, elles pourraient retrouver les liens qui les unissaient à leur père.

La valse des états d'âme

Nous sommes fin octobre et je me sauve de mon travail pour deux jours. Deux jours à moi pour écrire et jardiner, pour m'éloigner du tourbillon de la vie.

Par quel plaisir commencer? L'écriture ou le jardinage? Le jardinage l'emporte. J'aime travailler la terre. Mes mains sont occupées à composer un tableau et mes idées sont libres d'aller où elles veulent. L'influence de l'air pour accompagner mes digressions m'est salutaire.

Aujourd'hui, je dois tailler, biner, nettoyer; préparer les plantes pour l'hiver. Le temps est gris et frais. Mes doigts sont raides et froids, mais peu à peu le travail les réchauffe. J'aime ce rythme qui part de soi. Pas de presse, pas de course, mais un geste précis, continu, qui porte un sens. Je vois mon travail modifier l'aspect du terrain. Faire le ménage, c'est ouvrir un espace, et je sais que de le faire dans mes plates-bandes m'aide aussi à le faire dans ma tête pour laisser émerger ce que je mettrai sur papier demain.

L'après-midi tire à sa fin et je suis fière de mon travail. Ce n'est pas terminé, bien sûr, mais j'ai bien avancé. J'aurais envie de poursuivre, mais les enfants reviendront bientôt de l'école, j'ai juste le temps de me préparer un peu avant leur arrivée.

Changement de rythme. Aider aux devoirs, prévoir le souper, prendre des nouvelles de la journée de chacune, faire l'arbitre dans les chicanes, finir de ramasser la vaisselle, écouter un peu de musique... Jusque-là, tout allait bien. Maintenant, ça se dérègle. Je ne sais trop pourquoi. La satisfaction de ma journée et l'énergie retirée du travail de la terre m'abandonnent peu à peu. Le jardinage a créé un nouvel espace, mais, sans que je comprenne pourquoi, il se remplit de vide.

J'ai du mal à être présente aux enfants pour terminer leur journée avec elles. Les bains et l'heure du coucher me sont difficiles. Je me sens envahie par une peine que je n'arrive pas à identifier. Je me couche tôt. Mon lit devient une oasis. Je m'y réfugie et m'abandonne aux rumeurs de ma nuit désertique.

Quatre heures du matin. Mon lit est vide, j'ai envie de la chaleur d'un autre corps pour m'y perdre. Cette absence m'assomme. Comme toujours.

Plus tard, les enfants se réveillent. Je m'accorde à leur humeur. Cela me fait du bien. Elles sont joyeuses et fraîches comme la rosée. Les gestes que je fais les yeux fermés m'apaisent en ce moment. Déjeuner, s'habiller, faire son lit, se brosser les dents... sont autant de répétitions qui font diversion et m'amènent sur une autre voie.

Mes journées ressemblent à une danse. Je dois m'adapter à la fois aux humeurs et aux horaires de chacune, ainsi qu'à l'organisation matérielle de l'espace que nous habitons. Tous ces gestes constituent des repères.

Les changements de rythme provoqués par trois enfants sont nombreux et modifient souvent le mien. Je suis fréquemment interrompue dans mes élans. Sans ces contraintes venues de l'extérieur, ils me porteraient plus longtemps. Je suis en grande partie consentante à me faire sortir de moi, mais parfois cela m'exaspère.

Quand mon intérieur réclame temps et isolement pour s'apaiser et que je me sens extirpée de moi-même parce que je dois lacer des chaussures ou garnir le frigo, j'ai du mal à répondre à ces demandes quotidiennes qui me dérangent.

Par ailleurs, quand la tourmente m'assiège et qu'une douleur trop vive m'entraîne inexorablement vers le fond, ces petits gestes du quotidien deviennent comme une bouée. Je m'y accroche, me sers d'eux pour m'accorder un répit puis peu à peu redonner un sens aux heures qui viennent.

La vie de chacune a repris son cours. Bien que de moins en moins fréquents, les creux de vague et les déferlantes me rappellent qu'il n'est pas loin le temps où je m'écroulais sous le poids du désespoir. Il m'est essentiel de permettre au temps de m'offrir les occasions de distancer davantage cette mort, tout en laissant encore une place à la descente aux enfers.

Mes dérives sont plus courtes, mais elles bouleversent encore mes espaces intérieurs. L'écriture, en ce début de journée, me donne accès à ce mal-être, et même si c'est d'un vide qu'il s'agit, entrer en contact avec lui me permet de me recentrer. Mes forces reviennent peu à peu.

J'arrive maintenant à disposer de ce qui m'appartient. Je retrouve une aisance. Au gré du temps, je recrée de nouveaux ancrages, de nouveaux repères. Je sais que peu à peu je retrouverai toute mon énergie.

Le chemin que j'emprunte est une manière de tout perdre pour tout retrouver. Il me donne la liberté d'accéder à chacune de mes émotions.

Je suis une femme.
J'ai trois filles, chiantes et adorables.
J'ai le goût de découvrir de nouveaux horizons.
J'ai envie d'un homme.
Voilà.

6

Épilogue

En lisant un roman, le lecteur a hâte de connaître la suite; il veut savoir «comment ça finit», ce qui arrive aux protagonistes. Peut-être vous posez-vous les mêmes questions au sujet des membres de la famille Dell'Aniello et du thérapeute qui a partagé un épisode important de leur vie. C'est en partie cette curiosité que les prochaines pages veulent combler. Mais, surtout, Marie et moi voulions y faire un bilan en constatant le chemin parcouru.

Avec le passage du temps, j'ai pris de la distance par rapport à tout ce que j'ai vécu avec cette famille. J'ai continué à travailler, avec d'autres enfants, d'autres adultes endeuillés qui n'arrivaient pas à faire la traversée de la souffrance seuls. À l'occasion, je repense à un exercice fait avec les filles ou avec Marie, ou à un dessin réalisé par l'une des sœurs, et, lorsque c'est pertinent, j'adopte l'activité pour aider quelqu'un d'autre. J'ai parlé de la famille Dell'Aniello dans de nombreuses conférences et au cours d'ateliers de formation, ici et en Europe. Les gens sont toujours très touchés.

Après la fin de nos rencontres, Rosalie avait toujours de la difficulté à s'éloigner de sa mère. Elle refusait souvent des occasions de sortir et de visiter des amis. Mais au moins elle réussissait à formuler clairement à sa mère ce qu'elle ressentait. Puis un jour, elle a souhaité adopter une nouvelle attitude, et elle est revenue me voir à deux occasions.

Comme elle a vieilli! Son langage est clair, expressif et explicite. Elle me raconte les sorties manquées, sa peur d'être éloignée de sa mère. Je lui propose encore de jouer la scène de l'accident où elle est étendue sur une civière. Cette fois-ci, elle accepte sans aucune hésitation. Elle se couche par terre et, au moment où elle hurle «Maman!», Marie entre dans le bureau et va la prendre dans ses bras tout en douceur. Elle lui explique encore une fois pourquoi elle n'a pas pu s'occuper d'elle ce soir-là, mais que, maintenant, elle peut le faire avec beaucoup d'amour. S'ensuit un échange entre elles pendant lequel je n'ai pas besoin d'intervenir. Je suis le témoin privilégié d'un moment très tendre, presque sacré.

J'espère qu'à long terme cet instant de tendresse avec sa mère aidera Rosalie à avoir une vision différente de ce qui lui est arrivé et à atteindre un plus grand bien-être. À la suite de la reconstitution de la scène, il y a bien eu quelques changements dans le comportement de Rosalie, mais pas suffisamment pour affirmer que cet exercice a modifié radicalement son attitude. C'est une goutte d'eau de plus dans son expérience de vie. Cependant, parce qu'elle a osé affronter la peur qui l'avait empêchée de faire l'exercice la première fois, elle a sans doute pu constater que «ce n'était pas si effrayant que ça», comme elle l'a dit de l'épisode au palais de justice lorsqu'elle avait vu l'homme responsable de l'accident.

Pour ce qui est de Virginie, je ne l'ai pas revue seule. Ça doit être un bon signe.

J'ai par contre eu l'occasion de revoir toute la famille réunie. Après avoir vu une émission consacrée aux Dell'Aniello, l'organisatrice d'un colloque sur le deuil m'a demandé d'animer un atelier avec Marie et ses filles. Nous nous sommes donc rencontrés pour préparer environ une heure et quart de présentation. Si j'avais écouté les enfants, nous aurions emporté tous les dessins, animaux en peluche et autres objets utilisés au cours de leurs visites à mon bureau, y compris les vêtements de l'accident. Nous en aurions eu pour trois heures de présentation. (Enfin, j'exagère peut-être un tout petit peu !)

Le colloque a eu lieu en septembre 1999 et environ soixante-quinze personnes ont assisté à l'atelier. Ce fut un moment magique. Avant le début de l'exposé, je sentais la joie des enfants de se trouver là. Elles étaient excitées, couraient partout, s'amusaient avec le micro, avec l'équipement vidéo... Spontanément, Virginie et Rosalie ont fait un dessin de bienvenue qu'elles ont affiché à la porte de la salle. Ensuite, chacune a parlé de son expérience personnelle sans empiéter sur celle des autres. Pendant la présentation, toutes étaient souriantes, alors que dans la salle beaucoup de gens pleuraient. Marie et ses filles ont su rendre l'essence même de leur expérience, leur souffrance et leur lutte quotidienne pour retrouver l'espoir, et ce, sans tomber dans le mélodrame.

Je suis fier du travail accompli avec elles.

Des trois sœurs, Émilie est celle qui m'a le plus surpris. Le matin du colloque, elle a proposé de s'y rendre avec moi. Puis, dans l'auto, elle a parlé comme jamais elle ne l'avait fait lors de nos rares rencontres.

Elle a vieilli. Elle ressemble plus à une adolescente qu'à une enfant. Elle me raconte sa vie des derniers mois. Il est question de sa famille, de ce qu'elle y vit et de la manière dont elle le vit, de ses amies, de l'école, d'amitié, d'amour, de déceptions. Son ton est calme, son débit, beaucoup plus lent qu'auparavant. Son attitude d'ouverture et de transparence constitue pour moi un beau cadeau. Peut-être qu'elle aurait voulu s'ouvrir avant, mais que je n'ai pas su l'atteindre. Je la sens en mouvement. Un mouvement qui peut être doux une journée, difficile le lendemain, déroutant le surlendemain. Bienvenue à l'adolescence !

Depuis mon expérience avec cette famille, je continue à chercher de nouveaux moyens d'aider les personnes qui souffrent. Je réévalue mes méthodes pour les améliorer, les réinventer. J'aimerais apprendre le mime ou explorer le monde des clowns. Il me semble que je pourrais me servir de telles connaissances avec les enfants qui ont mal, et peut-être même avec les adultes…

En m'inspirant de la chanson *L'An 1*, de Félix Leclerc, je formule un dernier souhait à l'intention de cette famille qui est passée dans ma vie le temps d'une souffrance, le temps de reprendre goût à la vie. «Le voyage de la vie est unique. On ne peut pas le reprendre. Vivez-en intensivement chaque instant ! À toi,

Marie, à toi, Émilie, à toi, Virginie, à toi, Rosalie, bonne route, à chacune de vous et à votre descendance.»

Gilles, Longueuil, 7 février 2000.

La suite du voyage

J'ai choisi la vie. Elle est entièrement revenue, maintenant. Il ne reste qu'à construire la suite. C'est unique et exaltant de se trouver à cette croisée de chemins. Tout est possible.

Le goût de partir refait surface. Je vais laisser grandir mes rêves en composant un album rempli d'images aux décors chauds et légers. Vient aussi l'envie de connaître mes filles autrement, de vivre non plus dans la course du temps ni dans la mort qui rôde, mais dans la paix. Reprendre là où elles et moi avions laissé et redessiner une aventure avec ce que nous sommes aujourd'hui. Tracer une autre année de voyage.

L'amour, aussi, s'approche de moi, revient dans ma vie. Il s'appelle Jean. Je m'abandonne à sa présence avec volupté. Ma peau frémit à son contact; ses mains me comblent totalement. Il éveille la femme, la courtise avec désir et tendresse. Il accompagne la mère et lui redonne confiance. C'est un bonheur tout neuf que je savoure avec passion, connaissant la valeur de chaque instant.

Marie, Boucherville, 4 février 2000.

Remerciements

La rédaction de ces pages a été très difficile. Écrire est ardu. Je ne suis pas écrivain. Je ne le serai jamais. Écrire n'est pas quelque chose de naturel pour moi. J'aurais aimé lancer mes idées et mes commentaires et que quelqu'un d'autre, plus littéraire, fignole. C'est mon côté «pressé et paresseux».

Le soutien de la maison d'édition a été précieux, On m'a fait des suggestions, avec délicatesse, sans chercher à modifier l'essence de mes propos. Merci.

Heureusement, Louise, ma compagne de toujours, m'a critiqué, m'a corrigé, m'a encouragé. Elle m'a ramené sur terre à l'occasion. Elle a su se faire discrète au besoin. Je l'ai parfois trouvée agaçante dans le détail de ses remarques, trop sévère ou décourageante, mais finalement toujours intègre et rigoureuse. Dire «Merci» serait trop peu. «Je t'aime» est plus juste. Mais, les mots forts, c'est entre elle et moi !

Gilles

Merci…

À Martine, Monique, Lise, Brigitte et Guylaine pour leur soutien et leur patience infinie.

À mon frère et à mes sœurs qui se retrouvent avec une partie de leur histoire mise à nu.

À mes filles pour leurs sourires et leurs colères, mais surtout parce qu'elles existent.

À Jean pour le plaisir d'un très bel amour.

Marie

TABLE DES MATIÈRES

Ce volume a été achevé d'imprimer
sur les presses de l'imprimerie Gagné
à Louiseville
en mars 2000

Imprimé au Canada